*CHARACTER TEXT for*

# Mandarin Primer

Yuen Ren Chao

HARVARD UNIVERSITY PRESS
CAMBRIDGE, MASSACHUSETTS

Sixth Printing, 1969

Distributed in Great Britain by
Oxford University Press, London

SBN 674-10975-9

Printed in the United States of America

# Note

THIS CHARACTER TEXT is for the Chinese teacher, who usually reads much more easily in characters than in romanization, and for the student, who, sooner or later, should learn to read in characters.

The text corresponds, part for part, to the romanized Chinese in the *Mandarin Primer* by Yuen Ren Chao (Harvard University Press, 1948). In addition, it contains Answers to the Exercises and Exercises in Order of Strokes for all the typical parts of characters.

Since this is a text for everyday talk, it will not *look* like the usual semi-literary writing in the so-called colloquial language. But in order to make it *sound* like real speech, the Chinese teacher should follow this text very closely as regards the choice of words (such as *gaw.sonq* for *gaw.suh*), use the diminutive suffix and particles as marked, and, whenever the same character has both a literary and a colloquial pronunciation, choose the colloquial pronunciation, unless the contrary is indicated.

The following special usages in this text should be noted:

(1) Figures on pp. 1–11 refer to sections in the main book.

(2) Superscripts on pp. 17–81 refer to the notes to lessons in the main book.

(3) For pedagogical convenience, a few National Phonetic Letters are used in this text for certain phonetic exercises (e.g. Ex. 1 (a), p. 12), for indicating the pronunciation of characters which have more than one pronunciation (e.g. second character in line 14, p. 25), and for the diminutive suffix (e.g. twelfth character, p. 20). It should be understood, however, that the general public in China does not use the National Phonetic Letters.

(4) The Answers to the Exercises are in very cursive writing, legible, with the help of the context, to the Chinese teacher only. English-speaking students who can read cursive characters are welcome to their use.

# ERRATA

| Page | Line | For | Read |
|---|---|---|---|
| 15 | 18 8(b)(9) | 又´國 | 又圍 |
| 16 | 11 1(21) | 一件 | 一間 |
| 16 | bottom line | (blank) | 腦儿 |
| 31A | 10 | 熱 | 熱 |
| 31B | 3 | 己經 | 已經 |
| 34A | 12 | 那 | 哪 |
| 37B | 14 | 己竟 | 已竟 |
| 38A | 2 | 邋 | 邋 |
| 38B | 4 | 熱 | 熱 |
| 39A | 8 | 曆15 | 曆15 |
| 39B | 14 | 讓我看啊 | 等我想啊 |
| 40B | 2,3,8,9 | 曆 | 曆 |
| 42A | 9 | 倒 | 到 |
| 44B | 4 | 小點 | 小一點 |
| 44B | 10,14 | 熱 | 熱 |
| 45A | 2 | 熱 | 熱 |
| 45B | 1 | 人也不 | 人也不大 |
| 46A | 6 | 沒醫生 | 沒有醫生 |
| 47B | 1 | 部 | 部 |
| 48B | 3 | 糊 | 煳 |
| 50B | 1 | 亞 | 歐 |
| 51A | 6 | 較 | 較的 |
| 52B | 6 | 部 | 部 |
| 53B | 5 | 部 | 部 |
| 55B | 7 | 起來 | 起牀 |
| 56B | 3 | 歷 | 歷 |
| 58A | 4 | 您哪 | 您啊 |
| 63A | 5 | 到 | 倒 |
| 65B | 1 | 要是 | 要是 |

ERRATA (cont.)

| Page | Line | For | Read |
|---|---|---|---|
| 69A | 8 | 備了 | 備好了 |
| 71A | 2 | 熱 | 熱 |
| 71A | 6 | 没 | 没有 |
| 71B | 2 | 啊 | (omit) |
| 74B | 13 | 歷 | 歷 |
| 75A | 13 | 來點 | 來一點 |
| 75B | 6 | 把這孩子 | 把孩子 |
| 93B | 13 | 中國 | 中國話 |
| 113B | 15 | 我講 | 我們講 |
| 120B | 16 | 啊 | 呀 |
| 120B | 18 | 哪 | 那 |
| 121A | 16 | 熱 | 熱 |
| 125B | 7 | 部 | 部 |
| 136B | 3 | 一乛コ弓 | 乛コ弓 |
| 137C | 9 | 己乛コ己 | 己乛コ巳 |
| 139B | 17 | 常 | 堂 |
| 139B | 18 | 巾丶冂巾 | (omit) |

# Contents

CONTENTS

## PART IV EXERCISES AND ANSWERS

# 國語入門

趙元任

## 第一章

§3. 搖

6. 林 林林 他伊佢 / 文理 註:文理 文言

11. 國語羅馬字 國音常用字彙 / 埋 買 賣 燒 少 少

. . . . . . .

## 第二章

1. 凉 註:船

ㄅ ㄆ ㄇ ㄈ
ㄉ ㄊ ㄋ ㄌ
ㄗ ㄘ ㄙ
ㄓ ㄔ ㄕ ㄖ
ㄐ ㄑ ㄒ
ㄍ ㄎ ㄏ ○

2. 第四段:西 妻 蝦 然 / 安 摁 藕

3. 末段: 染 軟

4. ㄙ,ㄕ ㄚ ㄜ ㄞ ㄟ ㄠ ㄡ ㄢ ㄣ ㄤ ㄥ ㄨㄥ ㄦ
ㄧ ㄧㄚ ㄧㄝ ㄧㄞ ㄧㄠ ㄧㄡ ㄧㄢ ㄧㄣ ㄧㄤ ㄧㄥ ㄩㄥ
ㄨ ㄨㄚ ㄨㄛ ㄨㄞ ㄨㄟ ㄨㄢ ㄨㄣ ㄨㄤ ㄨㄥ
ㄩ ㄩㄝ ㄩㄢ ㄩㄣ

6. 末段:仁愛

7. 該蓋 表:陰平聲 陽平聲 上聲 去聲

8. (1) 好書 好人 好話 好·罷 (2) 好冷 (3) 東南風 (4) 再見

9. 現在 雞子ㄦ 花生糖 瞎說八道 / 棉·花 尾·巴 棉·花

10. 他·的 誰·的 你·的 大·的 / 喝茶 讀·書 浙·江 浙江

11. 八百 籬·笆 黑·的 碰·着 看·見 五·個
餿·的 打·他 棉·花
荳·腐 意·思 鑰·匙 客·氣 進·去
是 ·子 ·子 ·着

12. (1) 他 說 彎 鴨
(2) 茶 河 孩 盆
(3) 詳 滑 晴 元 騎 湖 胰 無
(4) 止 靶 請 給 火
(5) 講 拐 擺 好 捲
(6) 杜 派 漏 慢 上 二
(7) 媽 捏 拉 扔 麻 娘 來 人
(8) 有 (九) 晚 (管) 也 我
(9) 要 (叫) 為 (貴) 意 霧 印 硬

13. 兒 而 耳 爾 邇 二(貳)

(4) 棚+ㄦ 棚ㄦ 魂+ㄦ 魂ㄦ
(6) 歌ㄦ:根ㄦ 騾ㄦ:輪ㄦ

第三章

1. 字人有每今·的字字
辭(詞) 辭人有 每回 今·天 知·道 一定
字辭字辭 註:字
2. 好霧 註:車頭 車頭 今年 今年
好看 好看
(1) 踹 (2) 外(外·頭) (3)云要云 (4) 吃藥 藥
3. 我不信鬼. 不高興去. 可·以查·查字典. 下雨·了.
為甚·麼不要? 因為不好. 請坐·呀!
·啊 ·吶 ·嘍 你太瘦. 你·啊,太瘦. (那·是)
4. 這地·方儿可以浮水. 我是兩毛錢.
雞不吃·了. 兩·個人坐一把椅·子. 一把椅·子坐兩·個人.
5. (a) 他要·點儿酒·錢. 這樣儿行.
(b) 我傻·子? 我太太安·徽人. 今儿幾儿? 今儿初三.
他五尺半. 我八點到·的.
是 張三是人.
(c) 這·個人心好. 這·個人·的心好. 我道·路生. 我誰知·道?
您很面善. 他太性急. 不很太 他記性很好.
不 不·是 他不·是記·性壞. 我頭不疼·了. 我不頭疼·了.
6. (a) 飯好·了. 你上哪儿去? 這儿冷.
·的 他寫·的好. 這·個好·的多. ·的好 ·的多 他寫·的
(東·西, 樣·子, ...)好. 這·個好·的(地·方儿, 程·度, ...)多.
(b) 註: 逃 傷·頭 真傷·頭 真 傷·頭 走行,不走也行.
打是疼,罵是愛.
(c) 冰比水輕是真·的. 他不來很好.
註: 我不能說中·國話很好.
(d) 我叫·他來. 歸誰付錢? 有 我有·個朋·友會唱戲.

III. .呃一 .嗯 .這.個——.這.個 我要理——, 理——, 理髮.

7. 你我他都來.了. 張三李四是兩.個人. 豬肉, 羊肉, 牛肉, 甚.麽都買.不着. .啊 .咧 你跟我都去. 跟

又笨又傻 又

8. 房.子.的頂儿. 保險.的公司 房頂儿 白紙 不好 保險公司

9. 喝水 他喝.了一碗涼水.

理髮 理 髮 你今儿去理髮.不.理? 理.

我現在理.. .我.的頭.髮. 理.. 頭.髮 費神

我費.了您許多神.

10. 他天天儿寫信會客. 他天天儿會客寫信.

(a) 等.一.會儿去 去等.一.會儿 我起.來看.了一份儿報. 我看.了一份儿報起.來. 拿刀.給.他.

(b) 不難受不哭. 不哭不難受.

(c) 打這儿走 離這儿太遠 在水裡扔球 望東走 對.他放槍

(d) 拿手吃東.西 用心做

(e) 替我說話 給.他拿刀 給.我滾! 對.他道歉

(f) 你比他矮. 我越睡越睏.

(g) 把碗砸.了.

11. 人 肯 對 蘿.蔔 嘰.咕 菩.薩 邏輯

12. 走.走 看看 劃.算.劃.算 張張 人人 等.等儿

張張儿 個個儿

.的 快快儿(.的)

.的 慌.張 慌慌張張.的

爸.爸 媽.媽 蛐.蛐儿 娃.娃 星 星.星 月 月.月

長:長 涼:晾 傳:傳 見:現

13. 第 第一 初 初三 老

.兒(ㄦ) 註:.麼.麼.們 黄 黄ㄦ ㄦ 玩ㄦ 火ㄦ了 顛ㄦ了

.子 椅.子 襪.子

.頭 石.頭 外.頭

.巴 尾ˇ.巴 籬.笆

.麼 甚.麼 怎.麼 那.麼 怎.麼 哪.麼 多ˊ.麼

.們 們 他.們 孩.子.們

.了 打 破.了

.了 註:你.傷.了風.了. 你.傷咀風咯. 儂傷仔(是)風哉(ㄗ). 了 .矣 飯好.了. 第二天他後悔.了. 你把杯.子打破.了. 註:咀 咯 你將隻杯打爛咀咯.

.着(ㄓ,.ㄓㄜ) 我等.着.你.呐. 說.着話.呐.

.得 記.得 認.得 要.得

.的 我.的帽.子 快快ㄦ.的跑

(1) 叮 噹:叮.拎噹.啷 (2) 糊.塗:糊.哩糊塗

14. (a) 烙餅 燒.餅

(b) 烙 燒 餅 柿餅 柿 柿.子 中華民國 中華 民國

(c) 買賣 買 賣 買賣都一樣ㄦ價.錢. 打.手 打 .的

(d) 燒.餅 餅 買.賣 買 賣

(e) 瓜子ㄦ 子ㄦ 子+ㄦ 山.楂膏 山.楂

(f) 有意 有 意 惡.心 惡ˇ

(g) 那雙 屋.子.裡 飛船 好看 白薯 月.亮

15. 心.疼 他並不心.疼他.的錢.

16. 利害 利.害 尺ˇ.寸 尺ˇ 寸 希奇 裁.縫

要緊 緊要

17. 心理 心.裏 笑.話 三百 難受 麻繩ㄦ

桌.子.的上.頭 上.頭 桌.上

別 針ㄦ 夾鉗 扶手 拼.法 收條ㄦ 存款

香蕉　臭.蟲　好人　大使

一天　這塊

18. 存欵　護.書　董.事　點.心　枕.頭

19. 我吃飽了.　風颳倒.了一所房.子.　颳倒.了.

.了　把水喝.了　殺.了人.了

飛.來　送.去

進.來　送.進.來　.來(.去)　拿.出一本儿書.來

.得　記.得　認.得(.的　我.的)　*拿.得　拿.得下來　下來

20. 圍脖儿　瓜子儿　子儿(子+儿)　*脖儿　圍脖儿　圍　脖(脖.子)儿

我住.的旅館　.的　我住　報.上　我今儿買.的報.上　.上

21. 君君　臣臣　父父　子子　酒.着　更　躺.着　打

22. 這　那　哪　怎.麼　甚.麼　哪.麼　每　各　(個)　下　上　別　幾　半

哪儿　那.個　(那一.個)　怎.麼　這.麼(這+麼)　別.的

(a) 一把椅.子　兩盞燈　個(.個)　個　一.個椅.子　兩.個燈

(b) 萬　里　斗　尺　斤　三斗米

(c) 一間屋.子　屋.子　間　一屋.子人　一桌.子菜　桌.子

一桌菜　桌　.的　一地.的紙

(d) 睡一覺　問一聲　吃幾口

(e) 一課　三省　兩季

一.個人　兩.個兩.個四.個

23. 人　這.個人　水　一杯水　鹽　兩斤鹽　(鹽兩斤)

現在正好儿.　這儿是哪儿?　我今.天城.裏有事.

時.候儿　地.方儿　一.個地.方儿

24. 你　我　他　你.們　我.們　咱.們　他.們　誰　.們

ㄇ　.的　我.們　ㄇ˙

我.們　咱.們　你.們是女人，我.們是男人；咱.們都.是人.
他　他.們　這些橘.子壞.了，把.他扔.了.罷.
.的　我戴.了帽.子就走.了.
幫忙　幫他.的忙　打岔　打他.的岔
這儿有兩.個橙.子，給你一.個.
來　你不會鋪牀，讓我來.
樣　樣儿　別那麽.樣儿！
25. 不　註：有　沒　.了
(a) 來　坐　哭　(b) 大　傻　行　(c) 病　疼　鬧　(d) 看戲
出汗　殺人　(e) 愛財　費事　信神　(f) 在家　姓吳
是鴨.子　(g) 會飛　肯說話　想去
不　.了
.了　.着(.ㄓ,.ㄓㄜ)　很　更　把
來　大　病　看戲　愛財　在家　會飛　不　.了　.了　.着　很　把
註：.了　病.了三天
註：.着吶　.着　費事.着.吶！
註：是　.了
我誰也不為.　為　我為(為.着，為.了)你受罪.　他在家.吶.
他在家請客.吶.　從　打　解(起)　比　把[illegible]　(把[illegible]，把[illegible])
給　讓　被　管　叫　拿　以　於　於　關於　至於
註：不至於　於北平
26. 就來　不能　大笑　先走　你已竟輸.了.　你啊，已竟啊，輸.了.
他沒準儿贏.了.　一定　自然　索性　幸虧　遠遠儿
這.個跟那.個一樣.　跟那.個　張三跟李四是人.　和[illegible]　和[illegible]　和[illegible]
可.是他不懂.　他可.是不懂.　要.是　假如　既然　並且
所.以　就　可　不下雨我就來.　我可够.了.
27. 來啊！　來，.啊！　噯↗↘　嘸↗↘　嗯↗↘

好傢.伙！ 好 傢 好傢.伙 好 傢

姐.姐 姐.姐！

VII. 多謝，不要.了！

28. 從前有一個狐.狸. 拿.本儿書.來. 本儿 一本儿

書在哪儿？ 哪儿有書？ 我看完.了這本儿書.了. 這本儿書我看完.了.

我把這本儿書看完.了.

我.的姪儿文蘭 文蘭，我的一個姪儿 ⌊大⌉字 ⌊丫⌉音 王.先.生.

29. 每 每樣儿一.個 各(個) 各省 各人 每.個人 各／儿 回回 回回儿

都 客.人都到.了. 所有.的⋯都 所有.的雜誌我都要定.

有.的 有.的人不吃蒜 .點儿 一.點儿 幾.個 有幾.個

甚.麽 哪儿 我想吃點儿甚.麽. 咱.們想.個甚.麽法.子來說信他.

咱.們得上哪儿玩儿.玩儿.

甚.麽 怎.麽 哪儿 哪.. 都 他甚.麽都吃. 這.個誰都能告送你.

怎.麽改都行. 都⋯不(或沒) 也⋯不(或沒) 他甚.麽都不懂.

哪儿也找.不着房子. 他怎.麽也不成. 哪.個都不合適.

哪.個都行. 哪把鑰.匙都不配這把鎖.

別.的 給.我一把別.的趕錐. 還.. 再

再給.我一把趕錐. 沒人看.見過月.亮.的那.面儿.

30. 他窮. 是 (1).的 是 這.個水菓是生.的. 生.的 生.的水菓

生的東.西 (2) 他是得意，不.是驕.傲. (3) 他是窮.

(4) 好.是好，(可是⋯)

是 (1) 他是來拜.望.你.的. .的 (2) 我是去送.他，不.是接.他.

(3) 他是信基督教. (4)他借.是借，可.是不給.

.點儿 一.點儿 他今儿好.點儿.了. 還.是這.個好. 比

他比他小. 比 .點儿 .一.點儿

有 我有你(那.麽)高. 跟⋯一樣 水跟火一樣危險.

沒 沒有 這.個沒那.個(那.麽)好.

頂 最 頂好 咱·們頂好走·罷.

很 挺 極·了 好極·了 ·的很 闊·的很

31. (1)在 他在漢口. 船在海·上. 在 ·上 (2)·的 在海·上·的船
在 書·裏·的字 (3)他在美·國念書. (4)他住·在北平.
他在北平住. 他吃·的慢.

32. 我要洗臉. 臉還没洗·吶. 給 被 領子給·他撕破·了.
衣·服是我買·的. 這條褲·子是他燙·的.

33. 是 我是中·國人. 孔子是魯·國人. 今儿過年. 昨儿 明儿
·過 ·了 了
了 睡·了一覺 看·見了十·個人 ·了 ·了 我照·了一張相.
我照·了一張相·了. 我照·了相·了. 我照相·了. 我照·了相
·的 他昨儿來·的. 他是昨儿來·的. ·的
·的 我是剛才刮·的臉. 他是去·年生·的小孩儿.
他是一九四八年選舉·的總統.
·在·那儿 ·待·那儿 在 正 ·着 吶 他正在·那儿看·着報·吶.
明儿放·假. 要 會 就 快 我去.

34. 叫·他來 ·去(去) ·去 去(去) ·去 來

帶錢 {
·去買菜
買菜·去
·去買菜·去

派人 {
·來看·我
看·我·來
·來看·我·來

想·出·點儿玩意儿·來 {
·去騙人
騙人·去
·去騙人·去
·來騙人
騙人·來
·來騙人·來

註: 來 註: ·來 出·來

35. 今儿天儿好, 我得好好儿利·用他. 而且 並且 又
他走·了, 而且走·的很急.

又...又　也...也　他又巧又聰.明. 牡.丹也開花儿了,
玫瑰也開花儿.了.
。或者(。或.是 .或.者 .或.是)...。或.者　或.是你上我這儿來,或
.是我上你那儿去.　不.是你上我.這儿來,就.是我上你.那儿去.
36. 他　我有一.個朋.友(他)最愛說話.
.的　最愛說話.的人　所　憂客(所)造.的房子　字太小的書
我來.的地.方儿　我從那儿來.的地.方儿
.的。時.候　他睡着.了.的.時.候儿還說話.　.了　.的。時.候儿
他說完.了話就走.了.　他看.見.了我嚇.了一跳.
要.是下雨我就不去.　.的.話　我不去——要是天儿不晴.的話.
因。為　所.以　他因.為傷.了風,所.以不來.了.
因。為　.的。緣.故　有.的美.國人不會說中.國話,(是)因.為他
.們從來沒好好儿學.過.的.緣.故.
37. 不　肯來　不肯來　肯不來　不肯不來　有　沒　沒.有
別　不要　甭(不用)
.過.了.了　沒　沒.有　來.了　來.過　沒來　沒.有來　.過　沒　沒.有　.了
擦.不乾
.着　沒(.有)　不.是　我沒瞪.着眼儿.　我不.是瞪.着眼儿.
不.是　不　我不.是一定不肯.
(a) 你是誰?　你要看禮拜幾.的報?　我要看禮拜二.的.
(b) 你吃飯吃麵?　是　。還.是
(1) 你.是吃飯.是吃麵?
(2) 你　吃飯.是吃麵?
(3) 你.還.是吃飯.還.是吃麵?
(4) 你　吃飯.還.是吃麵?
你吃飯.還.是吃麵.啊?　吃飯.　吃麵.
你吃.不.吃飯.或.者麵.啊?　吃.　不吃.　。還.是　。或.者

(c) 。還·是 ·是 你抽烟·不·抽·啊？ 你到·過北平·沒·有？

對·了. 是·的. 不是. 我抽. 不抽. 到·過. 沒·有. 是. 是·的.

不·是. 吃. 不吃.

有 ·沒·有 這儿有燈·沒·有？ ·了 沒·有 ·了 他到·了·沒·有？

(d) ·嗎 ·啊 ·吧 (不·啊) ·是·不·是 是·的. 對·了. 世. 嘸.

嗯. 不. 不·咄 不·是. 不對！

你不喜·歡旅行·嗎？ 不，我喜·歡旅行. 你·們沒·有

香蕉·嗎？ 是·的，我·們沒有香蕉.

. . . . . .

第四章

1. 六書 (1) 象形 (2) 指事 (3) 會意

2. 第一段：(4) 假借 第二段：(5) 形聲 諧聲 末段：(6) 轉注

5. 第二段：篆字 隸書 隸字 楷書 刻版字 行書 草書 草字

6. 常見省筆字,行書字. 有˙號的是俗字

世中乱事五　京作来信个　们假价传其　再初利到前
世中乱事五　京作來信個　們假價傳其　再初利到前
　　亂　五　　　　　個　　　　　其

功動取可同　和器四国圖　在报块坏多　如好学安定
功動取可同　和器四国圖　在報塊壞多　如好学安定
　　　可　　　　　國　　　　　　　　　　學

官写实将专　对就师常年　府几弟后得　从应成或所
官寫實將專　對就師常年　府幾弟後得　從應成或所
　　　　　　　　　　　　　　　　得

据收政敢数　新断明易是　昨时更书最　会本东林果
據收政敢數　新斷明易是　昨時更書最　會本東林果
　　　　　　　　　　　　　　　最

机楼正步每　气没河海清　无然热灯为　特状现甚生
機樓正步每　氣没河海清　無然熱燈為　特狀現甚生

画当发的直　真神礼称第　笔经紧义听　声能至与兴
畫當發的直　真神禮稱第　筆經緊義聽　聲能至与與
畫　　　　　真　　稱　　筆　　　聽　　　　與興

举万处行要　见觉解记论　讲识议读变　走足车轮办
举万处行要　見覚解記論　講識議讀變　走足車輪辦
舉萬處行　　　覺　　　　　　　　　　　　　　辦

这过还边酒　铁长门关阳　双鸡难响头　体么黄点齐
這過還邊酒　鐵長門關陽　雙雞難響頭　體么黃點齊
　　　　　　　　　　　　　　　　　　麼　點

# 基本課

## 甲課 四聲

1. 單字調. Yˉ. Yˊ. Yˇ. Yˋ. Y˜

| | |
|---|---|
| 媽.麻.馬.罵. | 媽.一.飛.湯. |
| 一.胰.椅.意. | 麻.胰.肥.糖. |
| 飛.肥.匪.費. | 馬.椅.匪.躺. |
| 湯.糖.躺.燙. | 罵.意.費.燙. |
| | 媽.麻.馬.罵. |

練習(a) (1) Yˇ (2) Y˜ (3) Yˉ (4) Yˉ (5) Yˋ (6) Y˜ (7) Yˇ (8) Yˋ (9) Y˜ (10) Yˇ
(11) Yˊ (12) Yˊ (13) Y˜ (14) Yˉ (15) Yˋ (16) Y˜ (17) Yˊ (18) Yˉ (19) Yˋ (20) Yˇ

(d) (1)飛 (2)罵 (3)匪˜ (4)胰 (5)躺˜ (6)匪 (7)一 (8)肥 (9)馬 (10)麻
(11)意 (12)椅 (13)椅 (14)媽 (15)費 (16)馬˜ (17)湯 (18)躺 (19)匪˜ (20)糖
(21)胰 (22)馬 (23)躺 (24)湯 (25)罵

2. 連調.
(a) 他聽. 他來. 他買. 他賣.
(b) 没聽. 没來. 没買. 没賣.
(c) 你˜聽. 你˜來. 你ˊ買. 你˜賣.
(d) 要聽. 要來. 要買. 要賣.
(e)(同左)
(f) 他來. 没聽. 没來.

3. 輕聲.

| (1) | (2) | (3) | (4) |
|---|---|---|---|
| 聽·了. | 三·個. | 飛·的. | 聽·了三個飛的. |
| 來·了. | 一ˊ個. | 爬·的. | 來·了一ˊ個爬的. |
| 買·了. | 五·個. | 跑·的. | 買·了五·個跑的. |
| 賣·了. | 六·個. | 跳的. | 賣·了六·個跳的. |

練習(a) (1)没糖. (2)他跑. (3)你要. (4)飛·了.
(5)賣糖. (6)媽聽. (7)買麻. (8)你聽.
(9)他跳. (10)跳·了. (11)買ˊ馬. (12)要飛.
(13)來賣. (14)要罵. (15)跑·了. (16)賣馬.
(17)來聽. (18)一ˊ個. (19)他來. (20)來買.

## 乙課 難音

1. (a) 蹦 | 老蹦〻 ‖ 對 | 對了〻 ‖ 幹 | 幹完了 ‖ 醉 | 醉了吧?
碰 | 老碰〻 ‖ 退 | 退了〻 ‖ 看 | 看完了 ‖ 脆 | 脆了吧?

(b)(1) 猪 | 猪不來. ‖ (2) 脹 | 脹了 ‖ (3) 找 | 要找
出 | 出不來. ‖ 唱 | 唱了 ‖ 炒 | 要炒
書 | 書不來. ‖ 上 | 上了 ‖ 少 | 要少

(c)(1) 入 入 入口 (2) 人 人 一個人 (3) 肉 肉 買肉

(d) 薑 槍 香 我沒薑. 我沒槍. 我沒香.

(e) 皺 | 衣服皺了. ‖ 唱 | 他唱了. ‖ 少 | 太少了.
舊 | 衣服舊了. ‖ 嗆 | 他嗆了. ‖ 小 | 太小了.

(f) (1) 少. (2) 上. (3) 小. (4) 香. (5) 脹. (6) 出. (7) 猪. (8) 找.
(9) 唱. (10) 槍. (11) 舊. (12) 炒. (13) 書. (14) 皺. (15) 嗆.

2. (a) (1) 字刺四 / 差ㄘ 甆此刺 / (2) 治翅事日 / 吃遲尺翅

(b) 禿圖土吐 / 烏無五霧

(c) 烏迂烏迂 衣迂衣迂
迂魚雨玉 / 冤圓遠願 / 暈雲允韻

(d) ㄜ 他餓 俄國. / 科 咳 渴客
ㄨㄛ 多說 我說. / 鍋 國 果過

(e) ㄝ 歇歇 謝謝! / ㄩㄝ 大約 大學

(f) ㄣ 跟 問人 / (g) 明ㄦ 大聲ㄦ 樣ㄦ / (h) 三 二 文言 真好

3. (a) ㄞ ㄨㄞ 快來買 / ㄢ ㄧㄢ ㄨㄢ ㄩㄢ 三天 完全

(b) ㄚ ㄧㄚ ㄨㄚ 他瞎抓.

(c) ㄠ ㄧㄠ 老跳 要跑 / ㄤ ㄧㄤ ㄨㄤ 狼 涼 黃

(d) ㄡ 粥 ㄧㄣ 今 ㄥ 蒸 -ㄨㄥ 中

(e) 灰 回 毀 會 幽 油 有 又 今ㄦ 兒 耳 二

練習 (a) (1) 六個 (2) 他買. (3) 要來 (4) 你買. (5) 沒跳
(6) 跑了 (7) 你要飛. (8) 你買馬. (9) 他買糖. (10) 湯來了.

(b) (1) 老碰〻 (2) 對了〻. (3) 看完了 (4) 脆了吧?
老蹦〻 退了〻. 幹完了 醉了吧?

(c) (1) 土 (2) 薑 (3) 四 (4) 槍 (5) 嗆 (6) 香 (7) 唱 (8) 皺 (9) 說 (10) 謝
(11) 小 (12) 找 (13) 書 (14) 瞎 (15) 抓 (16) 上 (17) 猪 (18) 炒 (19) 日 (20) 今
(21) 少 (22) 出 (23) 舊 (24) 蒸 (25) 中 (26) 圓 (27) 餓 (28) 咳 (29) 問 (30) 碰

丙課　音系

1. (a) 橫讀　(b) 竪讀

撥　潑　摸　佛¯
得¯　特¯　訥¯　勒¯
玆　雌　思
知　癡¯　詩　日¯
雞　七　西
哥　科　喝

2. 思,詩　啊　阿;　哀　乀　熬¯　歐;　安　恩　骯　鞥　(烘)
衣　鴨　噎;　腰　幽;　烟　音　央　英　庸
烏　蛙　窩;　歪　威　;　彎　溫　汪
迂　約;　冤　暈

練習 (1)彎 (2)薰 (3)心 (4)家 (5)昏 (6)拽¯ (7)標 (8)恩 (9)約 (10)爹
(11)聲 (12)攙 (13)吃 (14)冤 (15)哑 (16)阿 (17)天 (18)庸 (19)中 (20)說
(21)堆 (22)餿 (23)秋 (24)香 (25)出

3. (a) (磁),時　哽?　鵝;　(孩)(肥)(毫)(侯);　(寒)(痕)(杭)(橫)(紅)
胰　牙　爺;　搖　油;　言　銀　洋　迎　(熊)
無　娃　(活);　(懷)　圍　;　完　文　王
魚　(學);　元　雲

(b) 媽　捏　拉　扔　麻　年　來　人

練習 (1)誰 (2)王 (3)人 (4)媽 (5)時 (6)文 (7)國 (8)央 (9)同 (10)文
(11)鈴 (12)臺 (13)來 (14)昨 (15)全 (16)扔 (17)河 (18)頭 (19)囉 (20)奇
(21)搖 (22)田 (23)學 (24)圖 (25)銀 (26)烟 (27)牆 (28)煤 (29)糖 (30)年

4. 死　馬　餅　美　所　雨　廣　買　好　小

(a) 紫,紙　啊ˇ　惡ˇ;　矮　乀ˇ　褪　藕;　俺　(肯)(慷)(梗)哄ˇ
幾　假　姐;　脚　九;　簡　緊　蔣　警　窘
主　爪　卓ˇ;　拽ˇ(水)　;　轉ˇ　準　哄ˇ
舉　(雪)　捲　ㄓㄩㄥˇ

練習 (1)好 (2)倆 (3)領 (4)選 (5)寡 (6)雪 (7)緊 (8)女 (9)躺 (10)板
(11)省 (12)姐 (13)粉 (14)買 (15)啊ˇ (16)廣 (17)懂 (18)窘 (19)點 (20)紙
(21)每 (22)兩 (23)此 (24)手 (25)水

(b) 以　啞　也;　咬　有;　眼　引　養　影　永
五　瓦　我;　𡰪　委　;　碗　穩　網
雨　ㄩㄝˇ;　遠　允

練習 (1)也 (2)土 (3)九 (4)碗 (5)呂 (6)五 (7)短 (8)我 (9)有 (10)雨

5. (a)(從上望下讀)

| 四,事 | 啊ˋ | 餓 | 愛 | ㄟˋ | 奧 | 漚ˋ | 暗 | 摁 | (抗) | (更) | (鬨) |
|---|---|---|---|---|---|---|---|---|---|---|---|
| 記 | 架 | 借 | | | 叫 | 就 | 見 | 近 | 降 | 鏡 | ㄐㄧㄥˋ |
| 住 | (話) | (貨) | 拽 | 墜 | | | 轉ˋ | (混) | 狀 | | |
| 據 | | (雪ㄒㄩㄝˋ) | | | | | 絹 | 菌 | | | |

練習 (1) 賣 (2) 地 (3) 會 (4) 吐ˋ (5) 四 (6) 破 (7) 後 (8) 凳 (9) 信 (10) 動
(11) 訓 (12) 謝 (13) 累 (14) 創 (15) 慣 (16) 下 (17) 六 (18) 快 (19) 去 (20) 見
(21) 上 (22) 到 (23) 叫 (24) 熱 (25) 這ㄓㄜˋ

(b) 意軋夜; 要又; 厭印樣硬用
霧襪臥; 外為 ; 萬問望
玉 月; 院韻

練習 (1) 換 (2) 夜 (3) 跳 (4) 萬 (5) 霧 (6) 氣 (7) 要 (8) 意 (9) 杜 (10) 借

8. (a) (1) 衣阿窩啊 (2) 私思ㄟ詩 (3) 彎約押英 (4) 骯安噎私
(5) 央詩烏烟 (6) 哀ㄨㄥ熬約 (7) 幽音溫ㄥ (8) 腰噎迂歪
(9) 威歐冤窩 (10) 幽蛙烟暈ˉ
(b) (1) 嗄ˊㄨㄛˊ迎鵝 (2) 時ㄟˊㄙˊㄣˊ (3) 牙言胰魚 (4) 爺ㄩㄝˊㄙˊㄢˊ
(5) 吳ㄥˊ王時 (6) 敖ㄨㄞˊ昂ㄨㄥˊ (7) 文嗄ˊ洋銀 (8) 魚雲ㄞˊ爺
(9) 元油ㄡˊ國 (10) 言搖娃油
(c) (1) 比可廣所 (2) 死粉長美 (3) 表兩馬臉 (4) 敢買止寫
(5) 紫九請土 (6) 懂小死老 (7) 緊水點管 (8) 姐柳雪女
(9) 手等捲短 (10) 寡拐剪ㄒㄩㄥˇ
(d) (1) 椅網養有 (2) 委引我雅 (3) 五穩遠影 (4) 眼咬有也
(5) 瓦也雨眼 (6) 允五引委
(e) (1) 是費四笨 (2) 謝累字飯 (3) 到快放送 (4) 去菌賣借
(5) 見叫化六 (6) 怕過姓客 (7) 棍胖嗆信 (8) 勸舊豆對
(f) (1) 軋臥夜印 (2) 為要印又 (3) 厭霧樣硬 (4) 運忘怨厭
(5) 意問又為 (6) 玉霧夜襪
(g) (1) 秋懂對搖 (2) 送問洋春 (3) 連牙現六 (4) 斗住鞋笨
(5) 亮居同說 (6) 四逃正挑 (7) 冤兜坐奇 (8) 拉到永要
(9) 勸頭我琴 (10) 爬誰ㄕㄟˊ天用 (11) 談人江唐 (12) 扔貓飽煤
(13) 下凶中上 (14) 客家定準 (15) 追飯等泥 (16) 信吃水快
(17) 湯很這ㄓㄟˋ聽 (18) 廣忘無死 (19) 山美允音 (20) 短萬索性雲
(21) 孩可雪頂 (22) 拐雙文學 (23) 開小遠引 (24) 寡官圍全
(25) 怕兩雨幾 (26) 訓乖王魚 (27) 買點疼地 (28) 君襪船時
(29) 長假神謝 (30) 綠瓜懷油 (31) 蓋哥得也 (32) 月書滑窮

# 丁課 變調

1. (a) 一天　一枝　一張
一年　一回　一國
一會兒　一盞　一點兒
一樣　一地　一個
十一　初一　禮拜一

(b) 不說　不黑　不知道
不同　不全　不一樣
不懂　不好　不想
不對　不要　不是
不！ 他不。／ 不灺。他不了。

練習 (1) 一位 (2) 不會 (3) 一樣 (4) 一把 (5) 不同
(6) 不一樣 (7) 丁一 (8) 不好 (9) 一本 (10) 不知道
(11) 不要緊 (12) 一件 (13) 一個 (14) 不懂 (15) 一扇
(16) 不是 (17) 一張 (18) 一塊 (19) 第一課 (20) 不完全
(21) 一件 (22) 一點兒 (23) 不對 (24) 不是 (25) 一，二，三

2. 丁一　張三　跟他　開燈　　新聞　英文　中文　開門　　跟我　跟你　鉛筆　中美　　他要　一二　三四　說話　　他的　三個　東西　桌子

十張　十枝　沒說　連他　　完全　誰來　沒人　人人　　連你　沒有　十九　毛筆　　王二　不是　一地　不在　　誰啊？　一個　咱們　時候兒

我說　幾張　兩枝　有燈　　兩年　你瞧　美文　哪國？　　我有　找你　找你　買點兒　　你看！　我是　李四　五六　　你的　兩個　椅子　走罷！

第一　電燈　要聽　會說　　問誰？　看人　不同　快來！　　問我！　用筆　報紙　上哪兒？　　第二　現在　在這兒　在那兒　　這個　那個　在這兒　在那兒

3. 三鮮湯　說英文　多喝水　他說話　開燈罷！　　東南風　三年級　仙人掌　西紅柿　燒煤的　　他也說　他老來　三眼兒井　歸我付　真感激　　雞蛋糕　他要茶　書太小　雙掛號　他餓了　　胳肢窩　說得來　聽不懂　中國話(!)　飛來了

誰先說　蘆溝橋　無花果兒　紅燒肉　來吃罷！　　梅蘭芳　還沒來　完全懂　巡洋艦　洋爐子　　洋取燈兒　從哪兒來　寒暑表　白塔寺　來晚了　　長信封兒　郵政局　十二點　無線電　沒看見　　難的多　一個人　誰的筆？　學不會(!)　王先生

老抽烟　好新聞　紡紗廠　火車站　買西瓜　　北門街　兩條魚　你沒懂　我沒空兒　好極了！　　有幾張？　老想來　我也有　你也會　老李呐？　　趕快說！　你問誰？　筆太軟　打電話　走這邊兒　　走不開(!)　兩個人(!)　想的很　嗓子大　椅子呐？

舊金山　大西洋　地中海　不知道　第三個　　自行車兒　住洋房　電臺好　豆芽菜兒　姓王的　　六盞燈　浮水池　字紙簍兒　望遠鏡兒　在哪兒呐？　　坐汽車　大問題　看電影兒　大概在　現在會呐？　　到了家　就是難　豆腐　看得見　對了吧？

# 第一課[1] 你[2]我他[3]「四個[4]人[5]」

丁一：誰啊[6]？

王二：我，[7]是我。

丁一：你是誰[8]？

王二：我是王二。你呐[9]？你是誰呐？

丁一：我呀[10]，我是丁一。他是誰啊？

王二：他是張三。

丁一：那麽他呐？他是誰呐？

王二：他呀，他是李四。

丁一：張三是甚麽[11]？

王二：張三是人[12]。

丁一：那麽李四呐？李四是甚麽呐？

王二：李四是人啊[13]，李四也是[14]人啊。

丁一：張三是一個人，李四也是一個人。

---

那麽張三跟[15]李四是幾個人呐？

王二：張三跟李四是兩個人，他們[16]是兩個人。

丁一：你跟我是幾個人？你跟我，咱們[17]是幾個人？

王二：我跟你，咱們也是兩個人。

丁一：對了[18]，咱們也是兩個人。張三李四是兩個人；你跟我也是兩個人。那麽兩個人跟兩個人是幾個人呐？是三個人不是[19]？

王二：不是[20]，兩個 兩個[21]是四個。

丁一：一個，兩個，三個，四個——一，二[22]，三，四，——對了，四個。

王二：你跟張三是兩個人；張三李四

也是兩個人。兩個兩個四個[23]，所以你跟張三跟李四，你們是四個人，是不是[24]？

丁一：不！不是！不是四個人，廿[25]！張三！李四！你們倆[26]跟我，咱們是不是[27]四個人啊？

張三，李四：不是，咱們是三個人吧？

丁一：一，二，三——廿，是的[28]，咱們是三個人——廿，王二！我們[29]不是四個人；我們是三個人。連你咱們才是四個人吶[30]。

---

## 第二課　東西[1]

甲：這[2]是甚麼？這[2]個是甚麼？

乙：這個[3]啊？

甲：嗯[4]，這個。

乙：這是一張[5]桌子。桌子是一件[6]東西。

甲：那是甚麼吶？那個是甚麼？

乙：哪個？那個啊？

甲：不是，不是那個。是哪個。

乙：哦[7]，那個啊？那是一扇[8]門。門也是一件東西。

甲：這些個[9]是甚麼？

乙：這是筆。這是幾枝[10]筆。

甲：那些是甚麼[11]東西吶？

乙：我不知道。[12] 這是些甚麽筆啊？你知道不知道？

甲：不知道[13]是甚麽筆，我想是鉛[14]筆罷。

乙：不是罷？我想是毛筆[15]。那些個是鉛筆。毛筆[16]在[17]這[18]儿，鉛筆不在這儿。

甲：不在這儿在哪儿呐[19]？

乙：鉛筆在那儿罷？

甲：那儿是哪儿啊？

乙：那邊[20]儿，[21]老王那[22]儿。

甲：廿，老王！鉛筆在你那儿不在？

王：在[23]這儿，在我這儿。

甲：你那儿有[24]幾枝鉛筆啊？你有幾枝鉛筆啊？

---

王：我有——一枝，兩枝，三枝，四枝，五枝，六枝，七枝——我有七枝——不是，不是——一，二，三，四，五，六——一二三四五六——我沒[25]有七枝鉛筆，我只有六枝。這六枝是我的[26]筆；這些筆是我的，不是你的，也不是他的。

甲：唉呀，這儿一地的紙[27]！

乙：甚麽紙啊？

甲：我不知道啊。我想是報紙[28]罷？

乙：報紙啊？[29] 有幾張報紙啊？

甲：有——一張，兩張，三張，四張，五張，六張，七張，八張，九張，十張——一，二，三，四，五，六，七，八，九，十——一二三四五六七八九十——有十張。

乙：看看[30]有甚麽新聞。報上[31]有甚麽新聞？

甲：我不知道有甚麽新聞。這儿有沒有燈啊，有燈沒有[32]？

乙：我想有，我想這儿有兩盞燈。咱們開開[33]燈看看罷。

甲：那兩盞燈在哪儿呐？——唉呀，這是甚麽呀？

乙：這是一張凳子。

甲：廿，不是，是一把[34]椅子啊，燈在這儿。

---

乙：開燈罷！

甲：燈開[35]了[36]。瞧瞧[37]！你瞧瞧這些東西！這不是報紙；這是包東西的紙[38]。

乙：你瞧，那些個不是鉛筆，也不是毛筆，也不是鋼筆，也不是粉筆。那是幾雙[39]筷子！

# 第三課 說中國話[1]

甲：我是中國人[2]，我是一個中國人。我說中國話，你說中國話，他也說中國話——我們個個[3]儿都說中國話。你們會[4]說中國話不會啊？

乙：會[5]，我們會。你們會，我們也會，所以你們跟我們，咱們都會。

甲：你是中國人不是？

乙：不是，我是外國人[6]。

甲：你是哪國的人[7]吶？你是從哪儿來[8]的人[9]吶？

乙：我呀，我是從美國來[10]的[11]，所以我是美國人。他從英國[12]來，他是從英國來的，所以他是英國人。

---

甲：英國人說英國話[13]，美國人說美國話，是不是？

乙：不是這麼[14]說，英國人說英文——

甲：甚麼叫[15]英文啊？

乙：英文就是[16]英國話——我說[17]英國人說英文，美國人也說英文。英文，「美文」，是一樣[18]的[19]也！

甲：你們兩國人說[20]話，是完全[21]一樣的嗎[22]？

乙：不，不完全一樣，不是完全一樣的，只有一點儿不同[23]就是了[24]。呃[25]——甚麼叫「中文」啊？中文是甚麼文吶？中文跟中國話有甚麼不同啊？

甲：沒甚麼[26]不同，沒有甚麼

大不同，中文就是中國話．
乙：那麽為甚麽[27]又[28]叫「中文」又叫「中國話」呐？
甲：有時候[29]儿說「中文」，有時候儿說「中國話」．有時候儿這麽說，有時候儿那麽[30]說．
乙：甚麽時候儿這麽說，甚麽時候儿那麽說呐？
甲：那—我不知道了[31]．我兩樣儿[32]都聽見過[33]．我想大概[34]是這麽樣儿的：「中國話」是說的，「中文」是寫的．
乙：哦，懂了，現在我懂了，現在我才[35]懂！

---

## 第四課 打[1]電話[2]

總局[3]，三一四一．．．不是三七四七一
三一四一，三千一百四十一號[4]．．．對了．
．．．．．
聽！你聽[5]！甚麽響？甚麽聲音響[6]？是鈴[7]儿響不是？是電鈴儿嗎？是電鈴儿啊？哪儿的電鈴儿？是門鈴儿還[9]是電話呀？
電話在哪儿？從哪儿走[10]？怎麽走？這麽走還是那麽走啊？走哪邊儿？走這邊儿還是走那邊儿啊？走哪個門[11]啊？第幾個門？
第三個[12]門啊？

喂[13],喂,您[14]哪儿?——您是哪一位[15]?貴姓[16]啊?您貴姓是——?

嗄?姓[17]甚麼?姓王啊[18]?王先生[19]台甫[20]是——?

「哦,你就是王二[21]!我[22]沒聽出來[23]就是你。我沒聽出是你來[24]!你怎麼[25]這麼些[26]時候儿[27]也沒來看[28]我[29]呀?

你來過嗎?你甚麼時候儿來的?哪天來的?禮拜幾[30]?禮拜日還是禮拜一啊?今儿還是昨儿啊?是昨儿嗎?昨儿甚麼時候儿?昨儿上午[31]還是下午啊?

下午兩點鐘[32]啊?呃——你怎麼來的[33]?是走道[34]儿來的,是坐車[35]來的,還是坐船來的?

---

哦,你是坐飛機來的。幾點鐘的飛機[36]?甚麼時候儿到的[37]?

十二點到的啊?我怎麼沒看見飛機呐?我怎麼沒聽見那架[38]飛機的聲音呐?

嗄?甚麼?你說甚麼?我聽不懂[39]。請你慢一點[40]儿說。請你說慢一點[41]儿。

飛機——甚麼?我聽不清楚。請你[42]再[43]說一遍[44]。飛——飛機「誤點」?甚麼叫「誤點」啊?「誤點」是甚麼意思[45]?

哦,「誤點」就是「來晚了」啊?「誤點」就是「來晚了」的意思啊?哦,我懂了。

呃——老李呐?他也來了嗎?

他說他要我怎麼[46]？他說他要我去做甚麼？

要我今儿或者明儿去看看他呀[47]？那麼我今儿就[48]去看他呐，還是明儿再[49]去呐，還是幾時去呐？

我想我這兩天[50]沒空[51]儿，我這儿有事走不開。你們兩位[52]上[53]我這儿來罷，好不好[54]？

嘸[55]，不要緊[56]！

噯[57]，不要緊，不要緊！還[58]是你們上我這儿來好。

好，這麼樣儿好。

乜，乜，這麼樣儿好極了！那麼—咱們明儿再見了[59]。明儿見，啊[60]！再見，再見[61]！

---

## 第五課 上下左右前後[1]中間儿

甲：桌儿上[2]就是桌子的上頭[3]。椅子上[4]就是椅子的上頭。桌儿上有書[5]，有一本，兩本，三本，…有十幾本書；所以書在桌儿上[6]。椅子上沒書；所以書不在椅子上。牆上有門；所以門在牆上。

乙：門在牆的上頭嗎？

甲：不是，「門在牆上」就是「在牆那儿」的意思，不是「在牆的上頭」的意思。

乙：哦。

甲：那麼—上頭的對面[7]儿就叫底下[8]。這個書的底下有幾張紙，紙底下是[9]桌子，桌子底下是地。這把椅子底下有報。報上有字[10]。你看，報上[11]有字。

乙：ㄝ，報上有字．

甲：白紙上沒字．現在我在紙上寫字，寫幾個字．現在紙上有字了，你看見了嗎？

乙：ㄝ，[12] 我看見了，我看見有字了．

甲：這儿牆上有一塊[13]黑板；黑板上沒有字．你看，我在黑板上寫字，在黑板上寫兩個[14]字．現在黑板上也有字了．

乙：你拿哪隻手寫字[15]啊？你拿右[16]手還是拿左[17]手寫字啊？你是拿哪個手寫字的啊？

甲：我呀，我是用右手寫字的，我不會用左手寫字．

乙：ㄝ[18]，我會．你看，我能[19]拿左手寫字．

---

甲：可是你寫的不好[20]ㄝ[21]．你瞧你！

乙：呵呵[22]，寫的不好．

甲：呃—你知道寫中國字是從上頭右邊儿[23]望底下寫的．寫外國字的時候儿吶，那就不同了．

乙：外國字[24]是怎麼寫的吶？

甲：外國字是從上頭左邊儿望右寫的．

乙：哦．

甲：現在桌子在我的前頭，我前頭有張[25]桌子．椅子在我的後頭，我[26]後頭有把椅子．我吶，我就在這兩件東西的中間[27]儿．桌子跟椅子的中間儿是我．現在我走到椅子後頭[28]，那麼椅子就

在我前頭了.我又走到桌子的前頭,
現在桌子在我跟[29]椅子的中間儿了.
乙: 這本儿書是黑的[30]還是白的啊?是
本儿黑書[31]還是本儿白書啊?
甲: 這本書外頭黑,可是裏頭不黑,
裏頭不全是[32]黑的.
乙: 怎麽呐?
甲: 因為書的紙是白紙世!紙上的
字才是黑的呐;所以書的外頭跟裏頭不
是一樣的.
乙: 世,裏外[33]不一樣.呃——咱們人[34]現在
在[35]外頭還是在裏頭啊?
甲: 咱們在裏頭啊!
乙: 在甚麽的裏頭?

甲: 在房子裏,在一所房子[36]裏頭,
也是在一間屋子裏頭,在一間課堂[37]
裏頭.
乙: 哦.人在課堂外頭說話,課堂
裏頭的人聽得見聽不見啊?
甲: 我想[38]聽不見.
外頭: 迂,魚,雨,玉!
甲: 可是有時候儿也許[39]聽見一點儿.
外頭: 禿,圖,土,吐!
甲: 你聽,外頭有人嚷,有人在那儿
大聲[40]儿嚷呐[41].
外頭: 媽,麻,馬,罵!
乙: 不是罷?是別的[42]課堂裏在那儿
上課[43]呐罷?

# 第六課 一個烟圈儿

昨天[1]我做完了[2]一件[3]要緊的事情，可是[4]做的很累，做的累極了[5]．回來了連晚飯也[6]不想喫，一碗[7]飯都喫不完．我就坐在[8]一個大椅子上歇歇[9]，抽抽烟[10]甚麽的[11]．

剛抽完了一根儿香烟[12]，看見一個烟圈儿裏好像[13]有個山水畫儿[14]似的[15]，世？真[16]奇怪！這個烟圈儿[17]總不散開[18]．我吹吹他，也老吹不散．又過了一會儿[19]，好像我自己人[20]也走到烟圈儿裏去[21]了．四面一看[22]，也看不見我屋裏的東西了，剛才啲叮啲叮的鐘走的聲音也聽不見了．我坐的那個椅子也不知道上哪儿去了．就覺着[23]我在一個大海上頭老在那儿飛似的．看看底下，好像有一座一座的[24]很好看[25]的海島．

我說，「好啦，現在好啦！我老想飛，老飛不起來[26]，這回[27]可真飛起來了[28]．飛的又高又快，飛的真好玩儿[29]！哈！真有意思[30]！可是別掉了下去，啊！不然[31]啊，不是掉在海島上摔死，就[32]是會掉得[33]海水裏淹死的．

「等[34]我飛下去一點儿看看罷．讓[35]我看啊，讓我看還飛得下去飛不下去．」

世，真的！還飛得下去．可是我一望下飛，就一直[36]老望下飛，再想飛起來又[37]飛不起來了．

那時候我越掉越低[38]，低到一千尺，九百尺，八百尺，七百，六百，五百，……一直

低到看得見[39]底下好像有許多[40]人在那儿走道儿。我就對他們大聲儿嚷着說，「喂，你們靠邊儿走，邊儿(上)走[41]！站得旁邊儿一點儿，我要[42]掉下來啦，嘿！」…

「說時遲，那時快[43]」，到那時候儿我才看出來，剛才我以為[44]是人的，不是真的人，是許多大樹，嘩啦啦！一聲，我的身子掉得一棵[45]大樹的頂儿上。

我說，「糟[46]了，這[47]糟糕了！要是只是摔疼了還不要緊，可是要[48]把[49]雙眼睛碰瞎了，那怎麽辦呐？不知道[50]現在我的眼睛還睜得開[51]睜不開了。」

……

睜開了眼睛一看，…誰知道[52]剛才是[53]睡着了，做了一個夢[54]！

---

# 第七課 譚[1]步亭先生

甲．我有個朋友姓譚[2]，名字叫步亭

乙．呵呵，「談不停」！

甲．這位先生最愛說話，…

乙．頂喜歡[3]說話！

甲．所以人家[4]都管[5]他叫話匣子，…

乙．留聲機[6]，是不是啊？

甲．也有時候儿管他叫廣播電臺[7]。

乙．「中央廣播電臺，XGOA」

甲．廿，別鬧[8]！你別淨[9]跟我打岔[10]呀！聽啊！聽我說！

乙．哦，好。

甲．那麽—這個人啊，他晚上[11]睡覺[12]的時候儿就說夢話。早晨[13]一醒就[14]起頭儿

跟自己說話·起來了以後[15]，一看見人，那當然[16]更不用[17]說了.

隨便[18]你跟他說甚·麽事，不管你問他甚·麽話[19]，他總有話跟·你說的·說完了一句，又是一句，說完了一句，又是一句，老那·麽說·比方說甚麽大[20]，甚麽小，哪個壞，哪個好. 要是那個比[21]這個多，這個就[22]比那個少. 假如我起來的沒你那麽遲，你起·來的就沒我那麽早.

他說輪船比人走·的快，汽車走·的又比輪船快，火車比汽車更快，所以火車比輪船就快·的多. 又有飛機走·的比甚·麽都[23]快，甚·麽都沒有飛機那麽快，那就是世界上[24]走·的最快的東西了，他說.

他又喜·歡議·論人. 不是[25]說張三長[26]，就是說李四短. 說誰跟誰一樣，誰比誰好一·點兒[27]，誰比誰壞一·點兒，說某人[28]不大好，某人簡直很壞，某人真·是壞的不得了[29]，某某人真壞極了. 說好人不怕太多[30]，壞人就愈少愈[31]好. 壞人不要太多，好人可·是愈多愈好. 他說他希望世界上的人一天比一天好，那·麽好人就一天比一天多，壞人就一天比一天少了.

乙. 你這位朋友[32]難道一天到晚[33]老·在那兒說話嗎？

甲. 雖然不至於[34]完全這麼樣儿, 但是[35]也差不多[36]這麼樣儿了. 他從早晨六點鐘起頭儿, 一說就說到晌午[37]十二點, 不等到肚子餓的不得了, 總不記着吃東西. 不等到嘴裏渴的沒法子[38], 總不記得喝水.

不過[39]他連飯也不好好儿的[40]吃廿. 他吃起飯來[41]的時候儿, 不是吃的挺[42]快挺快的, 就是挺慢挺慢的那麼吃. 他吃東西的快慢[43], 完全沒有一定的. 有時候儿說着話就用筷子在桌儿上寫字, 就忘了[44]用他吃飯了. 有時候儿呐, 他一頭儿[45]說着一頭儿吃, 說的越快就吃的越多, 越說不完就越吃不夠了.

---

乙. 那麼沒法子叫他少說點儿嗎?

甲. 簡直沒辦法. 你越打他的岔[46], 他就越說不停. 除非你真搗住他的嘴, 你要是[47]等他自己說到不說呀, 那除非西天出了太陽[48], 也不會[49]有個說完了的日子的.

乙. 你說完了吧?

甲. 嗄? ... 哦, 我呀, 我我我說完了... 啊, 我說完了.

## 第八課 正反字[1]

天下[2]的事情，天底下的東西，沒有[3]一樣兒沒有正反兩面兒的．無論[4]甚麼事情，不管甚麼東西，有正面兒總有反面兒，有反面兒就總有正面兒．這是一定的道理[5]，人人都知道，人人都明白[6]的[7]．

比方說，來的反面兒是去，買的反面兒是賣，真的反面兒是假，好的反面兒是壞．還有不新就是舊[8]，不長就是短，不冷[9]就叫熱，不硬就叫軟．要是一件事情不好做，就說這件事情很[10]難，這麼樣兒說，要是好做[11]的呐，就說這事情很容易，這麼樣兒說．所以難[12]易也可以算[13]是正反字了．人睡着了的時候兒不是醒着；醒的時候兒不是睡着了．那麼醒跟睡着又是一正一反[14]了．

咱們現在已經[15]明白世界上的東西事情[16]都有正有反．再說用字，也是有正有反的．但是有時候兒說反面兒的事，不一定[17]得[18]用反面兒的字，加一個「不」字兒[19]就行了．比方[20]說，喜歡的反面兒是恨；說輕點兒[21]就說不喜歡．好的反面兒是壞，可是平常[22]也說不好．聽得出意思來叫聽得懂，聽不出意思來叫聽不懂．好玩兒就叫有意思，不好玩[10]就叫沒意思．

假如你問我，「這兒可以不可以抽烟？」要是我許你抽烟，我就說，「這兒可以抽烟」；要是我不讓你抽呐，我就說，

「不可以抽烟，」或是說，「別抽烟！」你要是再老闆，我「抽烟行不行？」那我就得說，「不行，不行！這麽樣[23]不行！」再說重點兒就說，「不准抽烟，不許抽烟！我告送你不許抽烟嘍[24]！」

假如我有一件很難做的事情想請你給[25]我做一做，我就問你，「你肯[26]給我做這件事不肯？」要是你說，「我看[27]這事很難罷？」那我就知道你不肯做了[28]．假如有個很危險的地方兒，我問你，「你敢上那兒去不敢？」要是你說，「我怕那兒太危險罷？」我就知道你是不敢去了．」

還有好些[29]兩方面[30]的事情，看起來[31]好像是正反兩面兒其實[32]不過是相對[33]的，並不是相反的．例如[34]男人的對面兒是女人，小孩兒[35]的對面兒是大人．父親的對面兒是母親，兒子的對面兒是女兒，父母[36]的對面兒又是子女．哥哥的對面兒是弟弟，姊姊[37]的對面兒是妹妹，所以兄弟[38]又是姊妹的對面兒了．

喝的對面兒是吃，水的對面兒是火，這兒的對面兒是那兒，你的對面兒是我．

嘴說話，耳朵[39]聽，手寫字，看書還得用眼睛；所以說，聽，寫，看，又成了[40]兩對對面兒的字了．要是你現在中文也不會說，也不會聽，也不會寫，也不會看，那就是你的中文還沒學得會，反過來[41]說，趕[42]明兒你把中文

學成了[43]的時候兒，那你就又說得準，又聽得清，又寫得對，又看得懂了.

---

## 第九課 一個好人

甲：我給你講[1]一個人.

乙：怎麼？又講個人了啊？是不是那個—甚麼—說不完先生[2]？

甲：甚麼[3]「說不完先生」？沒有姓說的[4].

乙：不是不是，我的意思是說[5]那個[6]〈〈，那個姓甚麼—叫—叫甚麼？哦，對了，叫談不停先生，是不是啊？

甲：不是，這回我講的又是一個人，我講一個好人.這個人啊，他總對人說，『凡是[7]世界上的人啊，都應該「讀[8]好書，說好話，做[9]好人，行[10]好事」.』

乙：那再好沒有咯[11]，世界上還有甚麼比這四樣兒更好的啊？

甲：好是很好[12]．不過他雖然想這麽做，
可是他没本事把樣樣儿都做到了．
乙：怎麽吶？
甲：嗄，好比說「讀好書」的話罷[13]．你瞧
他連一個「大」字[14]都不認得，還提[15]甚[16]麽讀
好書讀壞書吶？
乙：ㄝ，那也說不上[17]甚麽書好書壞[18]了．
那麽「說好話」總[19]該好辦咯？
甲：好辦是好辦，但是他所[20]說的話，人家
常常儿聽不大懂．ㄝ，不但是生人[21]聽不
懂他的話ㄝ，連他[22]頂熟的一天到晚跟
他老在一塊儿[23]的人—那怕[24]他太太啊，他自己
家裏的小孩儿啊，用人[25]啊，同事們[26]啊—他們
也常常儿有聽不懂他的時候儿[27]．

乙：哦（帶笑）呵[28]，不是談不停先生，是
說不清先生，嗄？
甲：我告送你没姓說的嚜！
乙：嘿嘿！他說的是甚麽地方儿的話[29]吶？
甲：嗯—我也說不上來[30]了．他說的那種
話真是特別的很[31]．他說的也不知道是北
平話，也不知道是南京話，不像山東話，
也不像四川話，有點儿像廣州話，又有點儿
像上海話，一半儿[32]像中國話，又一半儿像外
國話似的．
乙：甚麽都[33]不是，甚麽都有點儿在裏
頭，是不是啊？
甲：對了，簡直是一種不中不西[34]，南腔
北調[35]的怪話[36]．

乙：他說的話既然[37]那麽難懂，那麽怎麽知道他是個好人吶？

甲：嗯——我想可以說——有兩個緣故。第一層[38]，他這個人啊[39]，他最肯幫人的忙[40]。只要是[41]對別人有好處[42]的事情，他沒有不肯幹的，沒有不願意[43]做的。他不但能做人家以為難做的事，並[44]且敢做人家所不敢做的事。假如他相信一件事情是一個人應該做的啊，他就一定要去做去的。

乙：那麽你所謂[45]「做好人，行好事」——兩樣兒事不是變成了[46]一樣的了嗎？

甲：不是不是！乜，這就是我正要[47]說的——所謂第二層了。

乙：第二層怎麽吶？

---

甲：二來[48]啊，這個人不但一輩子[49]做好事，而且他心好[50]。我想一個人非得[51]心好，才能算好人。

乙：可是他心在裏頭，你怎麽看得出他[52]好不好來吶？

甲：也有法子看得出一點兒來。他說的話雖然我聽不大懂啊，可是他的性[53]情好像非常[54]好。別人高興他也高興；別人不快活他也不快活。人家笑[55]他總笑；人家難受的時候兒他就總去安慰人家。所以我雖然看不見他的心，可是我相信這人一定[56]心好。所以說他是好人啊，那是絕[57]對沒有問[58]題的。

乙：乜，照你這樣兒講的，我想這個人倒[59]還不錯[60]，嗄？

甲：可不是嗎？

# 第十課 無尾鼠[1]

從前[2]有個耗子，他甚麼事情都打不定主·意[3]，隨便你問他甚麼話，他從來沒有[4]一定的話回答你的，比如你說「今儿天·氣真好，嗄？」他就也許說「是的罷，今天天·氣不錯，可是也許不怎麽[5]好，我怕今儿這天儿不大好罷——嘶[6]——我也不知道這種[7]天儿到底[8]算好算壞了。」

要是你問他，「你今儿晚·半天儿[9]有沒有工·夫儿[10]跟我上街[11]上去走走啊？」他就說，「哎呀，對不住[12]，我下午沒工·夫儿，上午倒是有空儿——也，不是，不是，我是要說上·半天儿[13]忙，下半·天沒事儿——可是下午要是下雨[14]呐？咱們頂好還是[15]等吃過了[16]午飯[17]再打定主·意罷；我想這又不是甚麼頂急的事情，不用馬上[18]就決定的，也，何必[19]立刻就決定呐？幹麻這麼着急[20]啊？」

有時候儿有人問他，「老鼠先生啊，您府上[21]有幾位少·爺[22]，幾位小·姐啊？」他就說「嗯——我——我呀，我想我有七個兒子八個女兒——嘶——嗯，讓我看啊，沒準儿[23]是八個兒子七個女兒罷——橫是[24]我一共有十幾個小孩儿——或是，或是也許有二三十個上下也說不定。」也，我猜我至少有二十·來個[25]小孩儿呐。」

有一天半夜，大風大雨[26]；把這位老鼠先生住的那所儿破房子[27]都快吹塌[28]了，跟

他同住的一班[29]朋友們都嚇醒了[30]，就起來叫他說「快點ㄦ跑罷，別睡得那ㄦ啦！醒了，嘿，起來啦！」

那隻耗子就半醒半睡的那麽懶懶ㄦ的[31]說，「這會ㄦ天還沒亮[32]，幹麽這麽早就起來啊？哎呀，外頭好像下雨呐罷，不錯，的確是下着雨呐．」

「快走罷[33]，嘔，不能再遲嘍！還等甚麽呀？房子都快倒嘍！你不走我們得先[34]走了．」

「房子要倒[35]？這房子還好好ㄦ的嘍！他並沒倒啊！我在這ㄦ獃了這麽久，這房子從來也沒倒過呀？」

他說着話的時候ㄦ，風越颳越利害[36]，雨越下越大．好在[37]這位鼠先生是老打不定主意的．他剛說了房子不會倒，可是他想了想又說，「哎呀，這房子搖的這麽利害，沒準ㄦ真會倒罷．得[38]了罷，我也走了．」

剛走出了門口ㄦ[39]，他又說，「好傢伙[40]！這麽大的雨！還是別走得了．」話還沒說完，忽然的，空隆隆！一聲，一大所[41]房子整個ㄦ的[42]塌了．

「茲ㄦ茲ㄦ茲ㄦ茲ㄦ！」那耗子軋死了沒有？沒有，沒軋死．因為這位沒主意的老鼠先生啊，他連死不死都打不定主意的．他剛一走出了大門，那房子就塌下來了．幸虧他身子已竟到了外頭，所以到底

沒軋着[43]. 可是他站得門口ㄦ的時候ㄦ，把一條尾巴給[44]邋得屋子裏頭了，所以被[45]一根倒下來的大柱子給砸斷了.

從此[46]以後他就變成了一隻無尾鼠了. 但是他自從丟了尾巴過後啊，他也變成了一種有決斷的耗子了，不再像[47]以前那麽沒主意了[48].

---

## 第十一課 守歲[1]

甲：屋子裏真冷！我越坐越冷. 冷的真難受！嘶[2]，今ㄦ晚上怎麽這麽冷啊？這爐子一點ㄦ熱氣[3]ㄦ都沒有嘿！管[4]保是沒有煤了罷？

乙：哈！真暖和！到底是房子裏頭暖和，暖和的真好受！廿，還是這ㄦ舒服.

甲：還「舒服」吶[5]！我坐得這ㄦ都快[6]凍死了. 喝！外頭下雪啦？

乙：可不是麽？你瞧我一身[7]的，黑帽子變了白帽子，黑大氅變了白大氅了. 今年還沒下過這麽大的雪吶罷？

甲：今年？今年三月[8]裏那場大雪你忘了嗎？

乙：三——哦，我都忘了哪回了，我的意思是說這回冬天。

甲：唉[9]！日子過的真快！不知不覺[10]的怎麽又過了一年了。孩子們[11]都長大了[12]一歲，大人們也都老了[13]一年了。

乙：是啊！今年是民國[14]——

甲：民國三十七年，不是嗎？就是公曆[15]一千九百[16]四十八年。去年[17]是一九四七，前年一九四六，解[18]明天起頭儿就是一九四九年了。後年是一九五零。

乙：今儿幾儿？

甲：嗄？

乙：今天甚麼日子？

甲：哦，今儿幾儿啊[19]？ 今儿是十二月三十一號。昨天三十，前天二十九，大前天二十八，明天是下個月[20]的一號[21]！就是明年的正月初一[22]；後天是正月初二，大後天是正月初三。

乙：你們放假[23]不放？

甲：我們只放一天假。除了[24]明儿年初一放假以外，我們甚麼假也不放。明儿因為是中華[25]民國成立[26]紀念日，所以全國都放假。

乙：今天星期幾[27]啊？

甲：今天是星期五。

乙：下星期六[28]是甚麼日子？

甲：呃——我一時說不上來了，你幹麻問？

乙：哦！我是因為下個星期六有事，得上別處儿[29]去。不知道是一月幾號？

甲：讓我看看月份牌儿[30]看。讓我看啊，

今兒星期五，這個星期六是一號——一加七是八——下星期六[31]是八號.

乙：上星期三是幾號？

甲：上星期三啊？等我想啊，這個星期三是二十九，上星期三是二十二——廿，十二月二十二，敢情[32]就是冬至[33]嘔！

乙：冬至？

甲：對了，冬至老是在十二月二十二左右，是一年裏頭白天最短夜裏最長[34]的日子.冬至的對面兒是夏至，總是在六月二十二左右，那是一年裏頭天兒最長，夜最短的日子.兩至[35]的當間兒吶，還有春分秋分[36]，這麽樣兒就成了春夏秋冬[37]四季了.

乙：我記着好像一過了年就是春天了嘿！

甲：啊，你一定是想着從前用的陰曆[38]了.因為陰曆的新年比陽曆[39]來的遲，總遲一個月或者一個半月左右，所以一過了年就是春天了.

乙：哦，不錯.

甲：可是自從辛亥[40]革命以後，就把陰曆給廢除了，就拿陽曆當做[41]國曆用了.辛亥年是西曆[42]一千九百一十一[43]年，第二年一九一二，就是中華民國元年[44]，到現在足足三十七年了.

乙：還差一點兒罷？

甲：不錯，還差幾分鐘[45].哎呀！現在已經是十一點三刻[46]了.還有一刻鐘就是

半夜十二點啦．

乙：你的表慢嘍；照我的鐘看起來現在已經有[47]十一點五十九分四十幾秒了，你看！

甲：乜，這會儿五十秒，五十一，五十二，五十三，五十四，五十五，五十六，五十七，五十八，五十九——

全體[48]：十二點！現在是一九四九啦，今年是中華民國三十八年啦！中華民國萬歲[49]！聯合國萬歲！

---

## 第十二課　海上救人

甲：喂！你們快點儿來看，有[1]架飛機掉下來了！飛機出事[2]了！

乙：哪儿呐？

甲：那邊儿！那邊儿！看見了嗎？飛機掉下來了，發動機[3]着火了，你瞧，他淨冒烟[4]儿．哎呀，真快，飛機的身子也着火了，糟糕，連[5]翅膀儿帶尾巴都燒[6]着了．唉—呀！掉得海裏頭了，一點儿一點儿的沉下去了．飛機裏的人不知道逃出來了沒有？

乙：怎麽來得及[7]啊，那麽一會儿工夫儿？

甲：乜！你瞧，你瞧，那邊儿有個甚麽東西在半空中飄着呐？

乙：哪邊儿啊？我看不見嘿，在東邊儿

還是在南邊儿啊？

甲：我也分不出[8]東南西北[9]來了．咱們這會儿船不是衝着——啊，我看出來了．在那邊儿，在南邊儿，在太陽那[10]邊儿．瞧，你瞧，剛剛在那塊雲彩的上頭右邊儿．

乙：我找不着[11]啊．

甲：咦[12]？忽然又沒有了．不知道又跑得哪儿去了．

乙：你看見的倒底是怎麼樣儿的一個[13]東西來[14]着？是甚麼樣子的？是方的是圓的？有多大？是甚麼顏色[ㄙㄜ]的？

甲：因為[15]那東西離[16]這儿太遠了，所以我也分不出是紅綠黃[17]青[18]藍紫，還是甚麼顏色[19 ㄕㄞ]來了．要是離這儿近點儿嘿，也許可以[20]——ㄝ，ㄝ，ㄝ，又在那儿了！哦，剛才敢情是給那塊黑雲給擋住了．現在到了那塊雲彩的左邊儿了．現在比起頭儿近點儿了，近的多了．

乙：啊，我也看見了．那不是個降落傘[21]嗎？傘底下掛着的不是個人嗎？那一定是那[22]個開那架出了事的飛機的那個駕駛員了，我猜是？

甲：管保是的罷？——除非[23]飛機裏本來不止一個人．啊，幸虧他趁[24]早逃了出來，要不然恐怕不是燒死也得淹死了．

乙：ㄝ，咱們得馬上就去救他才[25]行吶ㄝ！要不然他還是會淹死的ㄝ！

甲：ㄝ，你說的有道理[26]．咱們快把小汽

船儿[27]開了去救他去…… 打這邊儿走！小心[28]！慢點儿！慢着點儿！靠着大船的左邊儿走！別碰得舵上去，啊！喂，小心那螺旋槳[29]！

乙：甚麽「螺旋槳」？

甲：就是那個會轉[30]的那個推進器．

乙：哦，哦，那個東西啊．

甲：現在吃水[31]深，看不見，可是咱們得繞遠[32]一點儿才靠得住[33]不碰吶，慢慢儿的！好！現在可以開足了馬力[34]了！

乙：真討厭[35]！我又找不着他了．哦，已竟掉下來了．在那儿吶．

甲：乜，我也看見了．喂！你放心[36]，別着急，嘿！我們這就來！馬上就來了！倒楣[37]，

---

這混賬[38]的機器，偏偏[39]儿挑這麽個時候儿來跟你搗亂[40]．

乙：怎麽啦？

甲：還「怎麽了」吶，我昨儿叫你上汽油[41]，你非得要「等會儿，等會儿」好罷，你現在等罷！甭[42]管了，拿槳出來啦！快點儿划，划快點儿[43]！使勁[44]，使勁划！那個人還在那儿漂着吶，你把救生圈[45]扔給他！不行，不行，你扔的離他太遠了．把船頭儿上的那條繩子扔給他罷，你扔到了嗎？好，拉住！別撒手，啊！等我們把你拉上船來．乜，不成[46]，不成！這小船儿太輕——嗐[47]，你別管水上的救生圈了，嘿！你拿身子軋着那邊儿

一點儿，別動，你別動！讓我解這邊儿
把他拉上來！——乁！[48]——好啦！快點儿
划回大船去就好了。（嘟嘟！）
乙：你聽，他們一定是看見了咱們了。

---

## 第十三課　探[1]病

甲：ㄝ，叔良，你來了！
乙：ㄝ，二哥[2]，你也在這儿！
看護[3]：喂，對不住，請你們聲音小點儿
甲：對了，這儿咱們不能這麼大聲儿
說話，回頭[4]把病人[5]給鬧醒了。
乙：他今天好點儿了嗎？還發燒[6]不
發了？還有燒沒有？
甲：今天比昨天好的多了。燒倒是[7]還
有點儿燒，可是今天從早晨起熱度[8]就
漸漸儿的低下來了[9]。我聽那個看護說，
昨天最高高到[10]四十一度三吶，今天上午
八時[11]三十分的時候儿降到三十八度半了。
乙：我從來也用不慣[12]攝氏[13]的熱度

表的.所謂三十八度半到底算不算是熱的吶?

甲:這點儿燒不算怎麽利害的了.你想,攝氏的三十七度是等於華氏[14]的九十八度六.平常没病[15]的時候儿,身體的温度[16]就是差不多這麽樣儿上下了.現在他是[17]三十八度五,是華氏一三[18]五一十五,三九二十七,九十八加二是一百,七六十三——廿,是華氏一百零一度又十分之三[19].

乙:一百零一點儿三,啊,那不算怎麽高了,他人[20]還清楚吧?

甲:昨天發燒發的利害的時候儿人就有點儿糊塗[21],淨說胡話[22],連自各[23]儿人在哪儿也不知道,人也不認得.

乙:他說了些甚麽來着?

甲:我不知道.是他們告送我的.後來燒退[24]了一點儿,人就清楚多了.

乙:哦.大夫怎麽說來着?用不用接骨[25]或者開刀[26]甚麽的?

甲:他說照他的意見看起來,可以不用接骨,也不用用甚麽别種[27]的手術.有是有幾處燒傷[28]了的地方儿,跟好幾處外傷.他說他起頭儿怕大腿的骨頭折[29]了,後來查出來[30]並沒折.肩髈儿那儿大概也只有筋肉[31]受了點[32]儿傷,幸虧哪儿的骨頭也沒斷,他說.

乙:就光是外傷也一定疼的要命[33]咯.

甲：自然[34]了。我們給他弄上[35]船來的時候兒，他還在那兒使勁浮着水[36]。我們給了他點兒勃蘭地喝，他還知道喝，上了大船以後，他就暈過去[37]了，甚麽事情也不知道了，一路一句話也没說。

乙：船上没醫生[38]嗎？

甲：有倒是有，可是設備不算太完全，所以只好[39]先給他上點兒甚麽—呃—給他打點兒止痛的嗎啡針[40]啊，上點兒消毒[41]的碘酒[42]啊—那一類的臨時[43]救急[44]的辦法—趕船一靠了岸[45]，就打電話叫了一輛救傷車[46]，把他送進[47]這個醫院[48]裏來了。世，你瞧，從那間病室裏[49]走出來的那個就是牛大夫；他是這兒最出名[50]的外科醫生[51]了。他不但本事好[52]，學問[53]好，人也非常和氣[54]，一點兒架子[55]也没有，所以無論是看護啊，病人啊，同事們啊，人人都喜歡他，佩服他。

乙：這會兒大夫出來了，咱們可以進去了罷？

甲：讓我先問問那位護士[56]看[57]，呃—請問您，小姐，我們現在可以進去了嗎？

看：請你們二位再等等兒，啊！等我把病室先拾掇拾掇好！一會兒就得[58]。

# 第十四課 跟大夫談話

甲，乙：您早啊[1]，大夫！

大夫：早啊！

甲：今天病人好點儿了嗎？

大夫：今天倒是[2]可以報告——他好的多了.

乙：現在性命[3]大概沒有問題了罷？

大夫：是的[4]，現在危險時期可以說是已經過去了.我昨天所[5]怕的就是一發燒發的那麽高，脈[6]跳的又那麽快，不知道他的心臟[7]吃得住[8]吃不住.所以給他打了幾針[9]強心的藥.後來看他的燒居然[10]慢慢儿的退了下來了，我就知道他已經平平安安[11]的經過了這個[12]危機了.

---

甲：唉！真運氣[13]！他內部[14]受傷了沒有？

大夫：我給他裏裏外外的細細的[15]查過了一遍，我看[16]他不像有甚麽內傷的樣子.

甲，乙：啊，那好！

大夫：[17]肺啊，腸子啊，胃啊，肝啊，腎臟啊，都還好好儿的.大[18]便小便都通[19]，呼吸[20]也很勻的，嗓子也不腫.就是老渴，老鬧着要喝水，那當然是發燒的緣故[21]了.

乙：血流了[22]不少罷？

大夫：對了，所以一入了院[23]，我們頭一件[24]事，就是給他輸血[25].

乙：輸血[26]當時就找得着人麽？

大夫：不用找人的，醫院裏存着就有現成的血漿，隨時[27]可以拿出來用.

甲：嘖[28]！真妙！

乙：不知道他全身一共有多少處[29]的傷？

大夫：要是連輕傷也算起來嚜，總有—四十幾處吶—多的簡直數不清了。頭皮摩破[30]了，幸虧頭骨沒事[31]。右耳朵，右臉—從太陽[32]一直到嘴巴子—跟鼻子，都擦得很利害；好在眼珠子[33]沒壞。牙又把自己的舌頭跟嘴唇[34]給咬破了。肩膀儿，背脊[35]，心口[36]，肚子，胳臂，胳臂肘子，手腕子，那幾處就光是皮膚[37]受了傷。眉毛跟一頭的頭髮都燒了差不多一半。

乙：被火燒的幾處一定傷得很利害罷？

---

大夫：就(是)這話咯。右手的大指[38]，連二指，中指，都給火燒得很利害，連手指甲都燒糊了。可是無名指[39]跟小指頭倒沒受傷。右腿的膝蓋儿，右脚的脚腕子也燒傷得頂利害。

乙：喝，真慘[40]！

大夫：虧得現代的醫學，進步[41]的這[42]麼快，尤其是有了最近發現[43]的幾種很靈的藥—

甲：例如硫安劑[44]跟盤尼西林那一類的藥，是不是啊？

大夫：對了，也還有別的。所以現在只要是治的夠早—要緊的就是早—只須[45]治得夠早，可以包你能夠完全避免

傳染毒菌的危險[46]的.倘若[47]是十年前碰見了這麼樣重傷的一個人啊,那結果如何[48],就很難預料了.

乙:啊,要是我們沒找到牛大夫[49],那也不知道能不能有這麼良好的結果罷?

大夫:噯[50],好說好說!哪兒來的話[51]!我們也不過就是盡[52]我們行醫的應該盡的責任就是了.

看:這會兒你們二位可以進去了.右邊兒第三個門.

甲乙:好!——勞駕[53],勞駕,大夫!

大夫:唉!不客氣[54]!

---

## 第十五課 世界地理[1]

先生:今天講中國地理.但是在沒有講今天的功課以前吶,我們[2]應該先把[2a]上次所講的世界地理温理一遍,啊!錢天一,你記得世界上有些甚麼大陸[3]不記得啊?

錢:嗯——東半球最大的大陸當然就是亞洲[4]了.跟亞洲西部連着的就是歐洲.在歐洲的南邊兒,隔開了一個地中海,就是非洲.

先生:非洲跟亞洲是甚麼關係吶?

錢:甚麼關係啊?哦,非洲在亞洲的西南.本來歐亞非三洲都是連着的.後來開了一條蘇彜士運河[5],把紅海跟地中海打通了,所以非洲跟亞洲就分

開了.

先生:對,說的對,還有吶?

錢:哦,還有嚜[6]——東半球嚜還有澳洲,西半球有北美洲跟南美洲兩片[7]大陸,當中有一條巴拿馬運河.還有嚜——還有——,廿,先生,南極[8]洲是在東半球還是在西半球啊?

先生:既然叫南極洲,那就無所謂[9]東西咯.

錢:哦.

先生:李守強,你能不能把世界上幾個大洋的名字背[10]給我們大家[11]聽聽着.

李:最大的嚜——當然就是太平洋[12]咯,在亞洲美洲的當中.其次[13]嚜——是大西洋[14],在亞洲之[15]西,美洲之東.其次嚜是印度洋,在亞洲以南[16].還有北極的北冰洋[17]跟南極的南冰洋.

先生:錢天一,你要問甚麼來着?

錢:先生,南極既然有了個南極洲,還另外[18]擱得下[19]一個南冰洋嗎?

先生:南冰洋——呃——嗯——這個這個——這個下回再講罷,啊!今天咱們還得把世界上各國的名字温習温習吶),廿.王石山,世界上有些甚麽大的國家,都在哪儿,你背得出來嗎?

王:大的國家呀,中國在亞細亞咯.還有印度,跟俄[20]國——俄國一部分是在歐洲的.歐洲除了俄國之外,其餘的國家

都是挺小的ㄝ！

先生：可是有幾個小國，比方像荷蘭[21]，比利時，丹麥，等等[22]，他們的地位[23]相當的[24]重要ㄝ。

王：嗯。歐洲有英國[25]，法國，德國，西班牙，是比較大一點儿的，頂北邊儿的兩國叫挪威，瑞士——

先生：你弄錯了，王石山，瑞士是意大利[26]北邊儿的那個共和國。

錢：是不是就是那個——紅十字[27]會跟從前的國際[28]聯盟所在的地方儿？

先生：對了，對了！王石山，你心裏[29]想着的那個是瑞典，是個君主立憲[30]的國家。好，你再接着說呀。

王：還有，美洲最大的嘍，就是美國了。其次是加拿大，墨西哥。南美嘍，就有巴西，阿根庭；非洲有埃及，澳洲有奥國——

先生：嗐，你又弄糊塗了！奥國是歐洲的國家ㄝ，前幾年曾經被納粹化[31]的德國併吞過[32]的那個是奥國。澳洲是英國的聯邦之一[33]，有個獨立[34]的政府，也是個民主國家[35]，跟加拿大一樣的。

李：王石山忘了亞洲還有日本[36]呐。

王：我哪儿忘啦[37]？先生問的是世界上有甚麽大國ㄝ。

先生：呵呵，那麽說也通[38]。錢天一，你記得各國的京城[39]的名字不記得？

錢：中國的首都[40]在南京，打仗的時

候儿曾經搬到重慶去了幾年．蘇俄聯邦的首都在莫西哥——

先生：嗄？甚麽？

錢：呵呵，我是要說莫斯科．俄國是莫斯科，波蘭[41]是華沙，德國是柏林，意國是羅馬，希臘是雅典，土耳其是安哥拉，法國嘍巴黎，英國倫敦，美國紐約——

全體：嗯？

錢：哦，不是，不是，美利堅的首都是華盛頓．

全體：廿，那才對啊！

---

## 第十六課 中國地理

先生：你們大家還有甚麽問的沒有啦？……好，現在開始[1]講本國[2]地理．中國是世界上人口最多的國家，差不多佔[3]全世界人口的四分之一．但是中國的人民，多數住在中國的東南部．至於[4]西南的西藏，西邊儿的青海，西北的新疆省，跟北邊儿的內蒙古——那些地方吶，人口比較的稀少一點儿．最北邊儿的幾省就是東北幾省，就是遼寧[5]，遼北，安東，吉林，松江，合江，龍江，嫩江，興安，九省，外國人有時候儿管他叫滿洲．

王：那儿的人是不是就是所謂滿洲人啊？

先生：哎，你又瞎說[6]了，完全不是那麽

回事！讓我來慢慢儿的解釋[7]給你們聽，啊！三百多年前，旗人[8]入了關[9]以後，他們就分散到關內各省住着，自從民國以來，就漸漸的已經跟漢人[10]同化[11]了，所以現在往往分不出甚麽[12]旗人漢人了——反正[13]都是中國人就是了。至於現在東北的居民啊，差不多全是漢人，他們大多數都是從山東搬[14]了去的。

李：熱河儿是不是也是一省[15]啊？

先生：是的。熱河，察哈爾，綏遠這三省合起來叫內蒙古[16]，再望南一點儿就是黃河流域[17]的北幾省——山東，河北，河南，山西，陝西，甘肅，寧夏，有時候儿我們管這一帶[18]的地方也叫「北邊」，這是中國古時候儿文化發達最早的地方。孔子[19]就是生在山東的咯。

錢：孔子不是魯國人嗎？

先生：是啊，魯國就是現在山東省的一部分[20]啊，中國古代[21]最興旺[22]的幾朝[23]的國都[24]——商朝啊，周朝啊，秦朝啊，兩漢，唐[25]，宋，元，明，清——這幾朝的京城差不多都是在黃河流域的。但是長江[26]流域是現代中國的中心。從西康，四川，湖南，湖北，江西，安徽，到江蘇，浙江——那幾省要算是最富的幾省了。最南邊儿的幾省就是福建，臺灣，廣東，廣西，貴州，雲南。這幾省在[27]政治上，國防上[28]，經濟上，文化上，也都是佔非常重要的地位的。呢——你

們誰想得出來有哪些[29]出名的人是南方人啊？

李：蔣主席[30]是南邊人．

錢：哪ㄦ啊？蔣主席是浙江人，浙江在中國的中部東邊ㄦㄝ！

李：（打岔）不是那麽說的，因為——

先生：別鬧！別鬧！你們兩個人說的都對，也都不對．第一層，因為江蘇浙江跟北邊比起來是在南邊ㄦ，所以的確是有人管江浙兩省叫「南邊」．比方一個上海人問你說，你會說南邊話不會——

王：儂會得講南邊閒話[31]否？（全體大笑）

先生：對了，真的上海話當然是用上海口音[32]說的咯——我的意思是說上海人所謂南邊話，就是上海那一帶的話的意思，所以李守強說的話也不是全沒有道理．怎麽又不對呐？因為一國政府的主席是代表全國的，根本[33]就無所謂東西南北——

錢：您[34]軋根ㄦ[35]就是中國人，是不是啊？

先生：對了，就（是）這話咯．

王：我想到個南邊的名人了．

先生：誰？

王：中山先生[36]是廣東中山人ㄝ．

李：你没聽見咱們大家剛才講的——

先生：呃——錢天一先舉手．

錢：先生，中山先生是中華民國的國父，那不是也就「無所謂東西南北」了嗎？

先生：也，你說的對．這個意思很好．

李：（嘰咕着）那就是我正要說的話，先生不給我機會說嚜！（打下課鈴[37]）

先生：到時候兒了．今天中國地理課完畢[38]．你們大家都預備好點兒，啊！明天考！

全體：哦！

---

## 第十七課 談工合

甲：哎呀，糟糕！

乙：怎麽啦？

甲：簡直笑話！七點半了都[1]！我叫你早點兒起來，你就老躺得牀上[2]在那兒打呼嚕．

乙：哪兒啊！我一大早就起來了，你還要指望我多早啊？

甲：那麽你耽誤的時候兒太多了．洗臉咧[3]，刷牙漱口咧，[4]穿衣裳，穿襪子，繫鞋帶兒咧——每件事都費那麽大工夫兒——

乙：可是你非得等水開了，為了要拿開水沏茶[5]吃點心，又得等那麽半天[6]！

甲：哎！別怪[7]這個怪那個了，這有甚

麼爭頭[8]兒，還是快走罷嘔！

乙：叫洋車[9]去快點兒．

甲：好?!這兒哪兒來洋車呀？這兒也沒車坐也沒驢騎，硬[10]是得拿脚走．可是我想還來得及，倒是，這兒離工廠有五里多地，咱們跟他們約[11]的是八點前一點兒到那兒參觀[12]，這兒鄉下[13]的道兒聽說還不太壞．快點兒走來得及，我想．

乙：好罷，咱們就走罷！

甲：走啦！．．．

乙：他們都管那些工廠叫「工合」[14]，「工合」兩個[15]字怎麼講啊？

甲：「工合」就是「工業合作」，或者「輕工業合作運動」的簡單說法．

---

乙：哦，輕工業合作運動是怎麼樣兒發起的啊？

甲：這個運動的歷史是從民國二十七年起頭兒的．你記得二十六年那年，不是抗戰[16]開始的那年嗎？那時候兒咱們的政府跟人民就已經料到那次的打仗啊[17]，不見得[18]是一個短時期的戰爭．人人都下了長期抵抗的決心[19]，所以把[20]各處工廠裏的機器啊，有訓練的工人啊，有經驗的技師啊——連機器帶人——

乙：聽說還有好些帶着家眷走的吶——

甲：對了，他們都苦得很．他們不知道吃了多少苦，受了多少罪，才搬到了內地各省，好容易[21]才把工業又建設起來．一方

面吶，可以幫助那些沒事儿幹沒飯吃的工人，好[22]讓他們解決生活的問題，同時吶[23]，又可以造出[24]許多日用必需的物品來—

乙：世，這麽樣儿倒是「一舉兩得[25]」，嗄？

甲：世，就這話咯，好處就在這儿咯。

乙：「輕工業」怎麽講吶？

甲：輕工業嘿，可以不用大資本啊；人人都能自己出錢[26]來辦啊。

乙：那麽這個跟平常做小買賣[27]的或者做手藝的有甚麽不同吶？

甲：啊，這就是所謂工業跟普通手藝的分別了。他們現在辦的雖然不是重工業，並且也不是基本工業，但是他們製造東西跟辦事，全是照着科學方法的。

---

凡是可以用機器的地方儿，就用機器，可以把舊法子改良的地方儿，就改成了新法子；這麽樣儿一方面可以增加生產的力量，同時吶，又可以把人民的生活程度[28]給提高[29]了。

乙：嘖，真好！可是平常老百姓[30]多數是沒有科學的知識的啊！

甲：那沒關係啊。工合裏有許多專門的人[31]才可以幫忙啊。裏頭有好些工程師是從外國回來的留學生[32]。他們一天到晚研究用怎麽怎麽簡單化的機器，用哪些哪些本地的材料，然後造得出[33]甚麽甚麽又有用又賣得便宜的貨物來。

乙：世，咱們走了這麽半天，可有一

半儿路啦？

甲：哎呀，咱們到了哪儿啦？恐怕走錯了路了罷？頂好問問人罷，廿，勞駕，您哪！

丙：嗯？

---

## 第十八課　參觀民生[1]廠

甲：勞駕您啊！請問[2]上民生廠是怎麽走的啊？

丙：嗯？你說啥子啊[3]？

乙：廿，他不懂你的話．讓我來問他．嗯—我們要上[4]民—我們要到民生廠去，到民生工廠去，不知道—呃，不曉[5]得是怎麽走的？

丙：哦，民生廠啊，從這條路向左轉．

甲：哦，望左拐．

丙：走過了[6]第二個橋，再向右走，走了兩里路的樣子，就有一個十字路口[7]儿—

甲：有一個甚麽？

乙：他說有一個十字路口儿．

丙：對了，一個十字路口儿，不過你不要去管他，再走過去一點儿，又到一個丁字路口儿[8]。從丁字路口儿轉進去，你就看到[9]一座[10]洋房子，門上有個三角形[11]的招牌[12]，那就是民生廠咯。不會錯的！

甲：勞駕勞駕！

乙：對不住，啊，先生！

丙：啊，不客氣，不客氣！……

甲：呃——劉經理來了罷？

丁：你先生[13]是不是找劉工程師[14]啊？

甲：啊，不錯，劉工程師。

丁：他還沒來，但是就要來了——哦，他來了。——劉先生，有客人找你。

劉：啊，對不住，對不住，我到遲了。

---

甲：哎，我們也不過剛才到的。呃——劉先生，讓我介紹一位朋友，這是徐日新先生，跟我一塊儿來參觀的。

乙：久仰[15]，久仰！

劉：彼此[16]彼此！

乙：這個廠裏是不是專門製造紡織品[17]的啊？

劉：ㄝ，本來專做[18]這一行。後來把範圍漸漸的擴大了，現在除了手巾啊，毯子啊，被單儿[19]啊，那類東西之外，我們又添[20]了一門化學[21]用品。包括酒精[22]啊，胰子啊，墨水[23]啊，——

甲：聽說工合裏還造兵器呐，是不是啊？

劉：不錯，在另外一個廠裏。我們這裏除了制服，大氅，皮鞋[24]之外，不做軍用品的。有

些——呵呵！——小玩意儿[25]，好比飛機咧，戰車[26]咧，航空母艦[27]咧——

乙：喝！好傢伙，「小玩意儿」?!

劉：呵呵，那不過都是給小孩儿們玩儿的模型就是了。

乙：哦，敢情就是——

劉：我們出的東西大多數是普通[28]生活必需的用品。

乙：哦，所以叫民生廠，嗄？

劉：對了對了。離這裏不遠[29]還有一家[30]叫民族廠的。他們能造槍砲，子彈，電池，無線電收音機[31]，並且還能煉煤油[32]跟汽油。因為要保存民族[33]的自由，就得有國防，所以製造武器的工廠就叫民族廠咯。

乙：三民主義[34]不是還有民權[35]主義嗎？有沒有叫民權廠的啊？

甲：聽說他們正在那儿預備要開辦[36]一個民權印刷所[37]吶，是不是啊？

劉：對了，是有這個事[38]。這個印刷所是預備[39]提倡平民教育[40]，跟發表人民的言論[41]用的。因為如果要人民自治[42]嚜，同時就得把人民的知識程度提高了才行啊[43]；所以才叫民權印刷所——ㄝ，現在打八點了，廠裏開工了。老丁！老丁！

丁[44]：喂！

劉：如果有人來找我，你就說我陪着[45]兩位來賓[46]到廠裏參觀去了，大約過一個鐘頭儿就回來罷。

丁：好，要得[47]，要得！

## 第十九課 租房子

先生：ㄝ！「招租」，「招租」，「吉房招租[1]」！ㄝ，勞駕，停一停！請你到了下一站停一停！

太太：見鬼了；請問你這年頭兒哪兒有招租的房子？

先：真的嘿，我親眼[2]看見的嘿。你不信咱們下去看看去。還是一所兒挺大的房子呐[3]。

太：好，等車停了，咱們下去看看去。

先：真是，你說的「見鬼了」，怎麼我剛才看見清清楚楚[4]的一個招租的廣告[5]嘿！……哦，有了，有了，在這兒……

太：怎麼沒人啊？你再多摁兩下兒[6]！

先：也許電鈴兒壞了罷？咱們敲敲門看。喂，開門！開門，嘿！有人沒有？……也？還是沒人。

看房子的：來了，來了！說話就來[7]。你們兩位是來看房子的，是不是啊？

先：對了，這房子有多少間？

看：一共三十二間[8]。您進來我領您瞧瞧。這邊兒是門房兒，那邊兒是車房[9]，院子那邊兒是一個三開間的大客廳。

先：上房[10]呐？

看：上房在裏頭一進[11]，裏頭還有兩個院子呐，都比這個院子大……

先：喝！[12]好大的房間[13]ㄝ，還有回聲[14]呐。喂！（回聲：喂！）你是誰？（回聲：……誰？）

太：這房頂兒真高。

看：高好，夏天涼快．
先：可是冬天冷ㄝ！
太：廚房跟下房ㄦ在哪ㄦ？
看：在後院ㄦ，您瞧，解後頭這個玻璃[15]窗户這ㄦ就看得見．
先：ㄝ[16]，這些院子一個比一個大，後院ㄦ比正院子還更大了；還有兩棵松樹，那ㄦ還有許多竹子，那邊ㄦ那個池子裏沒準ㄦ還可以養魚[17]吶．
看：本來是個金魚池．
太：ㄝ，那邊ㄦ還有個菜園吶．你瞧，那ㄦ可以種菜．我想咱們可以種點ㄦ白菜[18]，菠菜，蘿蔔，西紅柿[19]，．．．
先：ㄝ，咱們房子還沒看好[20]，先別忙弄

---

菜啊！讓我看看．ㄝ，這房子的門[21]，窗，地板[22]頂板[23]，甚麽的，都還不壞，啊？ㄝ，看房子的！這房子有電燈自來水[24]沒有？
看：電線[25]都有，就是沒接電，自來水也有．
太：有新式的洗澡房[26]沒有？
看：本來倒是有，是前頭房客[27]自己裝的，可是他們搬走的時候ㄦ，就把瓷鐵[28]的澡盆，抽水馬桶[29]甚麽的都給拆了下來搬走了．
先：哦，只要水管子還有，我們可以買了再裝起來．呃—這房子租甚麽價錢[30]？
看：租錢是五十二塊錢[31]一個月．
先：這倒不貴，嗄？
太：ㄝ，我也覺着這個很便宜．這ㄦ上街[32]買菜，上鋪子去[33]甚麽的遠不遠？

看：不遠．這儿不是老河沿儿嗎？出口儿望北走十幾分鐘就有些市塲跟雜貨鋪[34]儿；要是搭公共汽車[35]，電車，或是三輪車甚麽的那就更快了．

太：ㄝˇ，地點到是很中心的，嗄？咱們就一定要罷．

先：好，那咱們就決定要罷．

看：您貴姓啊？

先：我姓張，張天才：「天下」的「天」[36]，「人才」的「才」，——我留個片子給你．先付點儿定錢罷？付多少？

看：隨便您了，張先生．

先：付二十五塊錢罷，——一五[37]，一十，十五，二十，二十五——二十五塊．

看：好，我給您開個收條[38]儿；下午我就去報告房東去給您預備摺子[39]．

先：哦，這儿是門牌[40]幾號？

看：沒關係；就是東口儿路北第二個大門儿．

先：你告送我是幾號，我好[41]記下來．

看：是——是，——十三號．

先：哦，十三號——（寫着）「老河沿[42]十三號」——「老河沿儿十三號」！ㄝ，讓我看！老河沿儿十三號——這不是這地方儿的四大凶宅裏的一個凶宅嗎？哦，所以租的那麽便宜嘔！原來[43]便宜就便宜在[44]這個上！回來夜裏鬧起鬼[45]來才妙吶！

太：啐[46]！你又見鬼了，拿着個[47]男子漢，一頭儿在那儿提倡破除迷信，一頭儿還怕鬼

吶，還[48]！也不怕羞！
先：我不怕鬼ㄝ，我是怕你怕鬼ㄝ！
太：我才不怕鬼吶[49]！
先：你不怕我也不怕。
太：我不怕。
先：那麽這房子還是要了？
太：要。

---

## 第二十課　海象[1]跟木匠[2]

太陽照在大海上，
他拚命[3]使勁的幹：
他想把浪頭歸置好[4]，
要又光又不亂[5]——
可是這很怪，因[6]為那正是
在半夜三更半[7]。

月亮看了噘着嘴[8]，
他心裏想，剛才
還當[9]着一天過完了，
怎麽太陽還要來？
「他簡直沒規矩[10]，」他說，
「這麽跑來拆我的檯[11]。」

那海是濕的像甚麼那麼濕.
那沙子就乾的像乾[12].
你看不見天上一片雲[13],
因為並沒雲在天[14]:
也沒有鳥儿在穿[15]空過[16]—
是並沒鳥儿在穿.

海象跟一個木匠,
他們倆人儿慢慢儿的跑;
他們看見了那麼些沙子
就哭的個不得了:
「要是這都掃清了」他們說
「那豈[17]不是非常好?」

---

要是七個老媽子拿七個敦布[18]
來掃他大半年[19],
你猜猜看」,那海象說,
「[20]可能夠掃得完?」
那木匠掉着眼淚[21]儿說,
「唉,我看這很難.」

「廿,蠣蟥們」,那海象說,
「來跟我們散散步[22].
來說說話,來打打岔,
在海灘儿上[23]走走路:
我們倆人儿四個手[24]攙四位,
再多了怕攙不住[25].」

那老蠣蟥也不言語[26]
　也不拿手去攙：
那老蠣蟥只搖搖頭，
　把眼睛翻一翻[27]——
他意思是說，「像他這樣儿，
　還再去上海灘[28]？」

有四個小蠣蟥儿很想來，
　他們[29]想的不得了：
他們刷了衣裳洗了臉，
　把鞋帶儿也繫好[30]——
可是這很怪，因為你知道
　他們軋根儿就沒腳．

---

又四個蠣蟥跟着來，
　又四個跟着走；
越來越多——你聽我說——
　還有，還有，還有——
他們都解水裏跳上岸[31]，
　那麼崎哩誇啦[32]的走．

那海象跟那個木匠
　又走了兩三里，
他們找了一塊大石頭
　來[33]當作圈身椅[34]：
那一個一個儿的小蠣蟥儿
　就大伙[35]儿望前擠[36]．

那海象說，「來談話罷，
咱們說短還說長：
說鞋—說船—還說火漆—
說白菜—跟國王—
問海怎麼煑[37]的滾滾燙[38]—
問豬可能上房[39]。」

「請等一等兒，」他們連忙[40]說，
「我們簡直趕不上[41]；
我們有的喘不過氣[42]
來，我們個個兒都很胖！」
「你們甭這麼忙，」那木匠說。
他們說，「您真體諒[43]！」

---

那海象說，「咱們最要緊的
是來[44]個大麵包[45]：
還有很好的好作料[46]
是酸醋[47]跟胡椒[48]—
せ，蠣蟥們，你們好了罷？
好，咱們就動手挑[49]。」

「可是挑誰啊？」他們嚷着說，
他們嚇的都[50]變了色。
「你們剛才待我們那麼樣兒好，
怎麼一會兒又這麼—嘖！—噯！」
「今兒天兒真好，」那海象說，
「せ，木匠，你瞧那海！」

你今儿能來，我真高興！
我很想見你的面[51]！」
那木匠只管[52]喫着說，
「世，再給我們[53]切一片：
我願意你別那麽樣儿聾——
我叫了你好幾遍！」

「這該[54]不該」，那海象說，
「這麽給他們上這個當[55]？
咱們叫他們跟我們跑這麽遠，
是跟我們出來逛[56]！」
那木匠拿着麵包說，
「這黃油[57]抹不上[58]！」

---

那海象說，「我為你們哭啊，
唉，你們真可憐[59]！」
他眼淚汪汪儿的[60]在那儿挑，
把大的都找全，
還掏出[61]兜[62]儿裏的小手絹儿，
來擋[63]在眼面前[64]、

「回家了，嘿！」那木匠說，
「你們玩儿的可還好？
怎麽不言ㄧㄢˊ·語ˉ啊」？看看像
是蠣蟥非常少——
可是這難怪[65]，因為他們哥儿倆[66]
把個個儿都喫了[67]ㄌㄧㄠˇ。

第二十一課 聽與[1]旁聽[2]

第一幕[3] 聽寫

先生：今天我給你們一個新的練習做做。你們書都還念[4]的不錯，可是你們聽說話[5]的本事都還不行。我現在照[6]中國人平常說話的快慢說幾個句子。你們聽了給我一句一句的都寫下來。你們都預備了紙筆了罷？好，現在開始聽寫：

第一句[7]：勞您駕，解這儿上火車站是怎麼走的啊？

第二句：我把這個手提包擱得這儿礙事[8]不礙事？

第三句：乜，請你把這個大包袱[9]給挪過去點儿，好罷？

第四句：王先生說他明儿晚上有約會[10]，他謝謝了[11]。

第五句：聽說您昨儿不舒服了，今儿覺着好點儿了嗎？

第六句：乜，我想我還是頂喜歡這個。

第七句：他要是沒罵我，我會無緣無故[12]的打他嗎？

第八句：他說來說去[13]還不是那句話？

甲：先生，你說的太怪[14]。

先生：嗄？太甚麼？

甲：不是，不是，我是要說你說的太快。

先生：對了，我說的太快啊，不對，誰

說快來着？我說的太慢！

乙：請先生再說一遍。

先生：好，再說一遍：第一句：勞您駕，解這儿上火車站是怎麼走的啊？第二句：我把⋯⋯

第二幕 參觀上課

來賓：李教授，各位先生，我今天來參觀你們上中文課，覺着非常的有趣味[15]，我看你們剛才做會話[16]練習的時候儿，聽你們讀音[17]讀的那麼準，說話說的那麼流利——也，李先生，我這麼樣儿說話他們可以聽得懂罷？用字甚麼的對於他們不太難罷？

先：聽得懂[18]。他們現在甚麼題目都能跟你談。你可以儘管[19]隨便跟他們聊天儿[20]啊，開玩笑[21]啊，甚至於[22]討論學術[23]啊——簡直可以拿他們當中國人一樣就得了[24]。

來賓：哦，那他們成績很可觀[25]了。呃——李教授剛才告訴[26]我說，你們現在甚麼話都聽得懂，甚麼話都會說了。好，那真是了不得[27]。你們將來[28]到了中國以後，能夠隨便跟中國人說話，那是對於[29]你們服務[30]上頭一定非常方便的。

先生：吳先生說你們要有甚麼關於[31]中國事情的問題，他要是知道的，可以想法子[32]回答你們。

甲：先生，剛才你跟吳先生說的是哪儿的話？是廣東話還是上海話？

## 第三幕 到了上海

丙：近來[33]這地方儿怎麽越變越熱鬧[34]了，好像街上聽見的不但淨是說外路口音[35]的，我覺着好像西洋人[36]也多出了不少來[37]了似的，你可覺得啊？

丁：（用上海口音）廿，我起初[38]一點儿沒留心[39]；現在你提起來，真的倒是——尤其是美國人，多的呀，多極了。

丙：對了，我聽說他們當中有的還會說兩句中國話呐。

丁：他們講[40]的中國話一定都是奇奇怪怪的聲音，是不是啊？

丙：喂，聲音小點儿！有兩個外國人來了。你怎麽知道他們不懂咱們的話呐？他們聽見了你笑話[41]他們，回頭不答應[42]你。

丁：啊，有甚麽要緊？你放心好了[43]，再響點儿也沒關係，不要緊的。

丙：你別說普通話[44]！

丁：特別是我這種——上海聲音的國語[45]——外國人聽見了一定更加[46]莫名其妙[47]的，他們都是笨的要命[48]。

甲：儂會得講上海閒話唔？

乙：哼！第十六課。

丙：哎喲！這個人真的會說上海話！你在哪儿學的這麽一口[49]上海話？

乙：呵呵呵，他並不會，他就學會了這一句。

丁：啊呀[50]，你們這兩句國語講得更

漂亮[51]！

甲：噯，好說好說，說得不好，一點儿也不好！我說的都是「奇奇怪怪的聲音」

丙：哎喲[52]，糟糕！

丁：真難為情[53]來！

丙：多不好意思[54]，嗐！那咱們剛才議論了他們那麽半天的話，都給他們聽了去[55]了，哎喲！

丁：啊呀！

---

# 第二十二課　念書

茶房[1]：兩位先生喫[2]甚麽茶？

甲：龍井[3]！

乙：有菊花[4]沒有？

茶：菊花[5]呀？菊花茶有。

乙：明儿幾點鐘可以到？

茶：明儿天一亮就到。（火車汽笛聲[6]）——一客[7]龍井，一客菊花！

乙：啊，開車了！

甲：日新啊，我認識了你這麽久，我從來沒問過你原籍[8]是哪儿。我原先[9]還以為你是上海人，後來聽見你的國語又是說得那麽純正[10]，覺得你又像是個北方人[11]。

乙：啊，這個故事[12]說起來長着吶[13]。我們原籍是常州[14]（刮[15]洋火[16]聲）——世，我這儿有！謝謝謝謝！——呃，——我本來是常州人；可是我一小[17]儿生長在北邊，不但不會說南邊話[18]，連聽都聽不大——

甲：常州話不是像南京揚州那一路[19]的南方官話麽？

乙：不——是，是像蘇州上海那一類的聲音。

甲：哦，那我一向都稿錯[20]了。

乙：世，可是我們小孩儿們一開蒙[21]的時候儿我祖父[22]就解南邊請[23]了一位說家鄉口音[24]的先生來教我們的書[25]，所以我小時候[26]儿總是用南方音讀書的。

---

甲：你在北方的時候儿難道沒進過學校[27]嗎？

乙：沒進過，不是我剛才說的，我們就在家裏的私塾裏念書世。我從四歲起就起頭儿認方塊儿字[28]；五歲起頭儿就念三字經[29]，百家姓[30]，千字文[31]，後來接着念大學[32]，中庸[33]，論語[34]，孟子[35]。四書讀完了嘿，就是五經。那麽五經裏頭我就念了詩經[36]，尚書[37]，呃——左傳[38]，跟禮記[39]，就剩了易經[40]沒念。

甲：世，你怎麽不讀詩[41]啊？

乙：詩讀啊，可是不是在書房裏念的。我先母[42]最愛詩詞歌賦[43]——

甲：真的啊？

乙：世，每晚上教我們姊[44]妹幾個人念

唐詩三百首[45]，首首都念到背得出來．
甲：你們讀詩哼[46]不哼啊？
乙：哼啊，比方—讓我看啊，比方—
張繼的楓橋夜泊罷！
甲：廿，你用你們的家鄉音哼哼看！
乙：我學的就是家鄉調ㄦ廿！呃—
嘸—差不多是這麽樣ㄦ的—呃—
「月落烏啼霜滿天[47]，
江楓漁火對愁眠，
姑蘇城外寒山寺，
夜半鐘聲到客船．」
—這．麽．樣ㄦ．念．(汽笛聲)
甲：哈，真美，嗄？那麽還有古詩，
又是怎麽哼的吶？

---

乙：哦，古詩那又是一種調ㄦ了，古詩
讓我想想看啊—哦，李白[48]的「夜思」咯：
「牀前明月[49]光，疑是地上霜．
舉頭望明月，低頭思故鄉．」
賣東西的．五香茶葉蛋[50]！五香茶葉
蛋！五香茶葉蛋要罷？
甲：哎，我聽了都想家了！
乙：可不？
甲：那麽後來你到底進的甚麽地
方ㄦ的學堂吶？
乙：後來啊？後來嚜，我們全家搬回
到南邊，我就在南邊進了中學[51]．那時
候ㄦ我就開始學英文，歷史，地理，還有
物理[52]，化學，那些自然科學．

甲：數學[53]吶？
乙：數學跟中文當然有咯．
甲：你最喜歡讀哪一門功課？
乙：我想我還是頂喜歡讀國文[54]，所以我現在在國文系啊．
甲：ㄝ，你中文既然有那麽好的根底[55]，對於他當然更感覺興趣[56]了．
乙：不是這個緣故，或者可以說是因為一個恰恰相反的——（咳嗽）
甲：茶房！茶房！
乙：茶房！伙計[57]！
茶：ㄟ[58]，這就來，先生！
乙：再給我們來點ㄦ開水！我嗓子都說啞了[59]．（汽笛聲）

---

## 第二十三課　白話文[1]

小孩：（哭）
旅客一：ㄝ，ㄝㄝ，你眼睛看得哪ㄦ去了？你怎麽搞的煞[2]？你，你，你看，你灑的我一身的！
女客：你瞧你把這孩子燙的，手都燙的通紅[3]的．——乖乖[4]，別哭，不要緊，不要緊，我拿我手絹ㄦ給你擦擦．
茶房：對不住，請您，請您原諒！
旅一：你看我這件新大掛[5]ㄦ，還不是都給你弄壞了！
茶：對不住，您啊！我實在是太粗心[6]了．哪裏曉得[7]火車忽然一停煞，我一個站不穩[8]，就——

旅一：那不成，那不能算[9]！

小：我的新衣裳都給弄濕了！呃呵！

女：好，好，別哭了，啊！

旅客二：得了，得了！好在水不髒，世，茶房！

茶：是是，[10]您啊！

旅二：快拿塊[11]乾淨搌布來！給這位先生擦擦！

旅一：好，看這位先生的面子[12]，這回饒了[13]你！

女：還疼不疼啦，寶貝？

小：嘸——不疼了、、

……

甲：世，咱們那壺茶怎麽啦？他走了半天了嘿！

乙：世，怎麽回事儿？啊，來了，呃——我剛才正在說我小時候儿不大喜歡念正經書。除了孟子，左傳，跟李白的詩之外，其餘的經書我一點儿也不在乎[14]念，我所[15]喜歡看的老子[16]啊，莊子[17]啊——那類的書，先生又不教我們念。

甲：是嗎？

乙：世，我尤其愛看小說儿[18]，先生管他[19]叫閒書[20]，不許我們看，查着[21]了還得捱罵。我有時候儿偷偷儿的[22]把小說儿書藏得書桌儿抽屜[23]裏——比方水滸傳[24]啊，紅樓夢[25]啊，儒林外史[26]啊，三國志啊——

甲：三國志[27]不是二十四史裏的一部正

史嗎？

乙：我說的那部是三國志演義也，是那個一般的人看着玩儿的小說儿也．

甲：哦．

乙：後來我入了大學[28]，我們的國文儿教授不但不禁止[29]我們看小說儿，還叫我們拿他當功課念——居然可以把小說儿書擺[30]得書桌儿的上頭，在大庭廣眾[31]，公然的看起閒書來，你瞧這多過癮[32]啊！

甲：聽你這種口氣[33]，你似乎是贊成這個這個——這個這個新文學運動的咯？

乙：是的，我是非常贊成這個白話大運動的．

甲：嘸——為初級[34]教育，或者大眾[35]教育，或者白話相宜一點儿，但是如果要講高深[36]一點儿的學理[37]，恐怕口語[38]沒有文言那麽準確罷也，你那些老莊的書不都是文言寫的嗎？

乙：可是唐朝的佛教的語錄[39]啊，——

甲：不過——

乙：——宋朝理學家[40]的——

甲：不過現在通行的各種公文啊，好比國際的條約啊，法律裏頭的條文啊，——

乙：可是——

甲：——那些商務的合同啊，雜誌裏的文章啊，哪怕報上的廣告[41]同新聞，甚至於平常人寫信，——

乙：也，——

甲：——仍舊是以文言為主——

乙：哎，這個問題要是徹底的討論起來，就是一夜說到天亮也說不完的咯。可惜[42]我不是胡適之[43]，不知道怎麼跟你辯好[44]。ㄝ，我，我當着你向來是贊成白話的，不是嗎？

甲：是是是[45]ㄝ，我不過假裝兒的[46]站在反面兒的立場跟你瞎聊聊[47]就是了。

乙：啐！我上了你那麼個大當[48]！

甲：車上橫是沒事兒幹，找個題目，隨便談談，消磨[49]消磨時間[50]就是了。（打哈欠）ㄝ，我茶還有吶！——不客氣不客氣！

乙：也？怎麼剛泡來[51]的茶又沒有了？他軋根兒就沒把茶壺給倒滿[52]，我看。（打哈欠）十一點半了都。我又睏又餓。

茶：兩位先生叫點兒甚麼點心罷？

甲：ㄝ，你說你餓了，我請你喫消夜[53]。讓我看看，啊！（看菜單子[54]）「炒麵類[55]」——這半夜三更的，炒麵太膩[56]咯——「湯麵類」，ㄝ，我請你喫火腿雞絲兒麵[57]！

乙：ㄝ，讓我來作東！茶房，兩客火腿雞絲麵！

甲：ㄝ，不，不，是我叫的ㄝ！

乙：我先說的，是我——

甲：茶房，你聽我的話，讓我來——

乙：ㄝ，ㄝ，ㄝ！（汽笛聲）

茶：兩客火腿雞絲麵！

……

小：媽！媽媽！

女：ㄝ，寶寶！甚麼？

小：媽，我餓了。

# 第二十四課 美國人演說[1]

甲：壞了，壞了！咱們到遲了．你聽，已經打鐘開會了．

乙：可不是嗎？我說的，咱們火車既然誤了點，就應該一直到大禮堂[2]——

甲：那怎麽成啊？——

乙：——你一死[3]兒要先到宿舍[4]．

甲：——咱們行．李那麽多，你不先給他放下來也不行啊．

乙：廿，他們已經開始唱國歌兒了！咱們輕輕兒的進去．

（唱國歌[5]）

「三民主義，吾黨所宗，
以建民國，以進大同．
咨爾多士，為民前鋒，
夙夜匪懈，主義是從！
矢勤矢勇，必信必忠，
一心一德，貫徹始終！」

女生一：（耳語[6]）講臺[7]上有個洋人[8]兒坐得那兒．

女生二：哪兒啊？

女一：在那兒，在校長位子的右邊兒．

女二：哦，看見了；好像挺年輕的吶！

女一：廿，別這麽大聲兒！

校長：今天我們歡迎[9]一位新近到中國來的美國同學[10]．他是美國麻省[11]劍橋[12]哈佛大學跟本校的交換學生．黎木[13]同

學。(鼓掌聲[14])

黎木：胡校長，各位老師[15]，各位同學。俗語說的好，「天不怕，地不怕，就怕洋鬼子說中國話[16]。」(笑聲) 兄弟——這個——本來就不會演說，更不會用中國話演說。說的不好的話[17]，請大家這個——

甲：世，他的國語說的不壞世——

黎：——請大家原諒！——

乙：世，鬼子的鬼[18]語比你的國語說的好點兒，嗄？

甲：哈哈哈！

黎：——兄弟從小兒就想上中國來，所以常常兒買了些講中國事情的英文書報[19]來讀。還有時候兒上紐約波士頓去買中國東西，上中國飯館兒甚麽的。我還想學說中國話，認中國字，研究中國的文化。可是人人都警告我說中文多難多難，所以把我嚇的總不敢試。

可是去年冬天我下了決心，在哈佛大學選了一門中國語言[20]速成科[21]，又碰到好運氣，得了一筆[22]獎學金，上這兒來做交換學生。現在居然達到了到中國求學[23]的目的，我覺着簡直快活的說不出來了。

呃——尤其是像我這麽一個從哈佛大學來的學生——你們知道哈佛是只收[24]男生[25]的世！——現在到了中國看見個個兒大學，都是這個——這個——男女同校[26]，這個使我覺着[27]尤其高興！(哄堂大笑[28])

呃—兄弟到了這裏[29]還沒多久，承[30]各位師長[31]，各位同學，處處的幫忙指點[32]，不知道怎麽樣感謝[33]才好，以後還希望大家時時指導[34]！（鼓掌聲）

乙：ㄝ，這個外國人的中國話說的真不錯，嘎？

甲：ㄝ，他這一口的漂亮國語，連我都說不過[35]他。

乙：待會[36]ㄦ散了會[37]，咱們去見見他去。

甲：好啊。

# 註裏的新字

課一 註4.(b)兩尺布 (c)一桶水 (d)走一趟
課四 註18.王·吧 忘·八
課六 註12.烟捲儿
課八 註11.這·個核·桃難吃.
課九 註38.被·窩 樓 54.異常(的)
課十 註7.種 宗(大宗) 24.橫·是(橫竪)
課十一 註8.雨 雪 場 40.天干 地支
甲乙丙丁戊己庚辛壬癸
子丑寅卯辰巳午未申酉戌亥
課十二 註17.棱色的
課十三 註26.用手術 29.破 裂 折(斷) 斷 碎 31.筋肉
肌肉 雞肉 40.麻醉藥 51.外科 內科
課十四 註6.脈博 17.表第三行:腹部 第五行:腰子
第八行:腦子 18.出恭 解手儿 上厠所(茅房)
拉屎 撒尿 30.摩擦 38.大·姆哥 二·姆弟 鐘
鼓樓 護國寺 小妞妞 (手)指·甲 43.發現
44.片尼斯林
課十五 註4.亞細亞 歐羅巴 阿非利加 澳大利亞

---

課十六 亞美利加 20.俄羅斯 蘇俄聯拜 蘇維埃
21.賀·蘭 25.英吉利 法蘭西 德意志 大不列顛
29.心理 心·裏 34.獨立 孤立 42.合衆國
註9.山海關 26.揚子江 30.蔣介石大元帥 蔣委員長
36.(孫)國父 逸仙 文
課十七 註4.穿 戴 手套儿 帽子 眼鏡儿
課十八 註17.紡紗 織布 26.坦克車
課十九 註11.(廂房) 21.窗·户 23.頂·棚
課二十 註2.瓦·匠 鐵匠 銅·匠 銀·匠
課二十二 註1.茶館儿 茶館店 6.吹哨儿的聲音 16.取燈儿
22.爺·爺 奶·奶 23.傻 27.私塾 31.周興嗣 33.
孔伋 39.戴聖 47.律詩
課二十三 註3.漆黑 飛薄 屁輕 5.袍子 16.道德經
17.南華經 24.施耐庵 25.曹雪芹 26.吳敬梓
27.羅貫中 28.學院 39.希運語錄 40.哲學
課二十四 註5.程懋雲 6.打喳·喳儿 11.加洲 22.支票
練習湯第一段:楊麗芬. 湯第七段:(趕).湯第
八段:(耶魯). 女三第九段:(新港).

三、 第一課 練習題

(a) 我跟他是兩個人．(b) 我跟你也是兩個人．(c) 你跟我跟他，咱們是兩個人．(d) 李四跟他跟我，我們是三個人．(e) 李四跟他，他們是三個人，(f) 你跟他，你們是四個人．(g) 第一課，第二課，第三課是三個人．(h) 張三李四是人．(i) 我是張三，你是李四，所以我，張三，你，李四，是四個人．(j) 第一課，第二課，第三課，是四課．(k) 你們倆跟我們倆，咱們是四個人．(l) 他們倆跟我們倆，我們也是四個人．

四、 (a) 他是誰？ (b) 李四是甚麼？ (c) 你跟我跟他是幾個人啊？ (d) 第一，第二，第四課是幾課？ (e) 兩個跟兩個是不是三個？ (f) 第一個人跟第三個人，他們是幾個人？ (g) 第二個跟第四個人呐？ (h) 張三是第幾啊？ (i) 所以李四呐？王二呐？ (j) 王二啊！我跟李四是兩個人，連你咱們幾個人啊？ (k) 『你我他「四個人」』是第幾課呀？ (l) 你跟我，咱們是不是一個人？

---

第一課 答案

(三) (a) 对了，你跟他是兩个人．(b) 也，你跟我也是兩个人．(c) 不对，我跟你跟他，咱们不是兩个人，咱们是三个人．(d) 是的，李四跟他跟你，你们是三个人．(e) 不是，李四跟他，他们不是三个人，他们是兩个人．(f) 不，我跟他，我们不是四个人，我们是兩个人．(g) 不对，第一課，第二課，第三課不是三个人，是三課．(h) 对了，張三李四是人．(i) 不对，不对！咱们是兩个人，不是四个人！(j) 不是的，第一課，第二課，第三課不是四課，是三課．(k) 对了，我们倆跟你们倆，咱们是四个人．(l) 也，他们倆跟你们倆，你们也是四个人！

四 (a) —— (b) 李四是人. (c) 我跟你跟他是三個人. (d) 第一，第二，第四課是三課. (e) 不是，兩個兩個四個. (f) 他們是兩個人. (g) 他們也是兩個人. (h) 張三是第三. (i) 所以李四第四，張三第三. (j) 連我咱們三個人. (k) 你我他「四個人」是「第四」課. (l) 不是，我是我，你是你，咱們不是三個人，咱們是兩個人呀！

(五) (a) 第一課是什麼？ (b) 第二課呐？第三課呐？ (c) 兩個(跟)兩個(是)四個，所以兩個人跟兩個人是四個人. (d) 張三(是)第幾個人了？李四呐？ (e) 你們兩個人，跟我一個人，是三個人. (f) 對了，兩個跟一個是三個. (g) 一個跟三個是四個. 一，二，三，四. —— 你們是四個人，不是三個人. (h) 張三跟李四跟他，他們是三個人，是不是？ (i) 兩個跟兩個是幾個？ (j) 兩個跟三個呢？

---

## 第二課 練習題

三. (a) 一張桌子，一扇門，兩張凳子，是四件東西. (b) 你跟我跟他們倆也是四件東西. (c) 你跟桌子是兩件東西. (d) 老王有七枝筆. (e) 這兒有十張報紙. (f) 他們有幾枝鉛筆跟毛筆. (g) 報上有新聞. (h) 包東西的紙上沒有新聞. (i) 這兒有兩三個人. (j) 五雙筷子是十件東西. (k) 鉛筆不在老王那兒. (l) 凳子跟燈是一件東西.

四. (a) 三個跟兩個是幾個？ (b) 一張桌子跟三盞燈是幾件東西？ (c) 老王有幾枝鉛筆啊？ (d) 這兒的一地的紙是甚麼紙啊？ (e) 他們有幾盞燈？ (f) 你瞧瞧那張包東西的紙上有甚麼新聞. (g) 兩扇門是一件東西不是？ (h) 你在哪兒？ (i) 這一課是第幾課？ (j) 三枝跟五枝是幾枝啊？ (k) 你有甚麼

筆啊？ (l) 你想甚麽？

五. 我不是張三. —— 你不是張三是誰吶？

我是李四.

他沒有毛筆. —— 他沒有毛筆有甚(麽)筆吶？

他有鉛筆.

(a) 報不在那儿. (b) 他們不開門.
(c) 他們不開門. (d) 李四沒有十二枝鉛筆.
(e) 這儿的人沒有毛筆. (f) 張三跟李四的凳子不在那儿. (g) 桌子上沒有凳子.
(h) 這儿沒有報紙. (i) 你不知道我想甚麽. (j) 我沒有三枝鋼筆. (k) 這個不是你的報. (l) 這個不是你的報.

六. 我有鉛筆. —— 你有沒有鉛筆啊？

你有鉛筆沒有？

有，我有鉛筆.

(a) 我有他的筆. (b) 老李在這儿.
(c) 桌子，椅子，凳子，燈，是四件東西. (d)

---

老張有報. (e) 那是幾雙筷子. (f) 他有十張包東西的報紙. (g) 這兩張是包筷子的紙. (h) 我開的門是那扇門. (i) 我開的燈是這盞燈. (j) 這張是他包東西的紙. (k) 那三張是王二包鉛筆的紙. (l) 有人.

第二課 答案

三. (a) 对了，一張桌子，一扇门，兩把凳子是四件東西. (b) 不是，咱们不是四件東西，咱们是四个人. (c) 不是的，我跟桌子是一个人跟一件东西. (d) 不对，他没有笔，只有筷子. (e) 不对，没有报纸. 这儿只有包東西的纸. (f) 不对，他们也没有鉛筆，也没有毛筆，他们只有兩双筷子. (g) 对了. 报上有新闻. (h) 对了. 包東西的纸上没有新闻. (i) 是的，這儿有兩个人. (j) 是，五双筷子是十件東西. (k) 是的，鉛筆不在老王那儿. (l) 凳子

跟灯是一件东西？也，不是，不是，凳子是凳子，灯是灯，灯跟凳子是两件东西啊！

四 (a) 三个跟两个是五个。 (b) 一张桌子跟三盏灯是四件东西。 (c) 他有七枝——不是，不是，他有六枝——啊，不，不，他没有铅笔。 (d) 我想是包东西的纸吧？ (e) 他们有盏灯吧？ (f) 那种包东西的纸不是报，所以那张纸上没有新闻。 (g) 不是，两扇门是两件东西。 (h) 我在这儿。 (i) 这课是第三课。 (j) 三枝跟五枝是八枝。 (k) 我有毛笔，也有铅笔，也有钢笔，也有粉笔。 (l) 我不知道。

五 (a) 报不在那儿在哪儿呐？报在这儿。 (b) 他们不开门谁开门呐？咱们开门。 (c) 他们不开门开什么呐？他们开灯。 (d) 李四没有十三枝铅笔，有几枝呐？他只有六枝。 (e) 这儿的人没有毛笔，有什么笔呐？他们只有铅笔跟钢笔。 (f) 张三跟李四的凳子不在那儿在哪儿呐？他们的凳子在这儿。 (g) 桌子上没有凳子，有什么呐？没有凳子，有灯。 (h) 这儿没有报纸，有什么纸呐？这儿只有包东西的纸。 (i) 我不知道你想什么东西，谁知道你想什么东西呐？我知道我想什么东西。 (j) 你没有三枝钢笔有几枝呐？我只有一枝。 (k) 这个不是我的报，哪个是我的报呐？那个是你的报。 (l) 这个不是我的报是谁的报呐？这个是他的报。

六 (a) 你有没有他的笔啊？你有他的笔没有？有，我有他的毛笔。 (b) 老李在不在这儿啊？他在这儿不在？在，他在这儿。 (c) 桌子，椅子，凳子，灯是不是四件东西啊？桌子，椅子，凳子，灯是四件东西不是？是的，是四件东西。 (d) 老张有没有报啊？他有报没有？有，老张有报。 (e) 那是不是几双筷子啊？那是几双筷子

不是？是，那是几双筷子。(f)他有没有十张包东西的报纸啊？他有十张包东西的报纸没有？有，他有。(g)这两张是包筷子的纸啊？这两张是包筷子的纸不是？是的，是包筷子的纸。(h)你们的门是不是那扇门啊？是那扇门不是？是，是那扇门。(i)你们的灯是不是这盏灯啊？是这盏灯不是？是，是这盏灯。(j)这张是不是他包东西的纸啊？这张是他包东西的纸不是？是，是他包东西的纸。(k)那三张是不是三包铅笔的纸啊？那三张是三包铅笔的纸不是？是的，那三张是三包铅笔的纸。(l)有没有人啊？有人没有？有，有人。

---

## 第三課 練習題

一、(a)老四是哪國的人啊？(b)美國人說甚麼樣兒的話呀？(c)「中文」跟「中國話」有甚麼不同？(d)你懂中國話不懂？(e)你會寫中文不會？(f)美國話跟英國話是完全一樣的不是？(g)你會說哪國的話？(h)看看這兒有幾個中國人，幾個外國人。(i)我有幾枝鉛筆，幾枝毛筆？(j)現在呐？(k)這兒有幾盞燈幾張凳子啊？(l)他是不是一個會說中國話的外國人啊？

二、舉例——

我說中國話：

你是說中國話的，

你是一個說中國話的人。

(a)張三會說英文。(b)你想說話。

(c)我們不懂中國話。(d)他從中國來。

(e)你跟他，你們從哪兒來？(f)你會說

兩國的話。(g)李四有紙。(h)我又沒有凳子，又沒有燈。(i)他叫王二。(j)你說什麼？(k)老李大概不看報。(l)那個外國人會說中國話。

三、舉例——

我懂中文。

(1) 甲：你懂中文不懂？
乙：懂，我懂中文。
甲：(高調)你懂中文嗎？
乙：對了，我懂。
甲：(低調)你懂中文啊？
乙：欸，我懂。

(2) 甲：他懂中文不懂？
乙：不懂，他不懂中文。
甲：他不懂中文嗎？
乙：是的，他不懂。
甲：他不懂中文啊？
乙：嗯，他不懂。

---

(a)我會說中國話。(b)我是美國人。(c)我會說「一二三四」。(d)這兒有燈。(e)我知道你在哪兒。(f)這麼說對。(g)咱們現在說中國話。(h)這個報上有中國新聞。(i)他想來。(j)我們這兒有人。(甲：你們那兒有人沒有？……)(k)英國話跟美國話一樣。(l)英國話跟美國話是一樣的。

## 第三課 答案

一、(a)我想他是中国人吧？(b)美国人都說英文。(c)沒甚么不同。我想是這樣儿的，中文是写的，中国话是说的。(d)懂一点儿。(e)我不会写中文。(f)不是，美国话跟英国话有一点儿不同。(g)我会说美国话，我也会说一点儿中国话。(下略)

二、(a)他是会说英文的。他是一个会说英文的人。(b)我是想说话的，我是了想说话的人。(c)你们是不懂中國話的。

你们是几个不懂中国话的人。(d)他是从中国来的，他是一个从中国来的人。(e)你跟他是从哪儿来的？你跟他是从那儿来的两个人？(f)我是会说两国的话的，我是一个会说两国的话的人。(g)李四是有纸的，李四是一个有纸的人。(h)你是又没有笔子又没有灯的，你是一个又没有笔子又没有灯的人。(i)他是叫王二的，他是一个叫王二的人。(j)你是说什么的？你是一个说什么的人？(k)老李大概是不看报的，老李大概是一个不看报的人。(l)那个外国人是会说中国话的。那外国人是一个会说中国话的人。

三.(a) 1. 甲：你会说中国话不会？乙：会，我会说中国话。甲：（高调）你会说吗？乙：对了，我会说。甲：（低调）你会啊？乙：也，我会。

2. 甲：他会说中国话不会？乙：不会，他不会说中国话。甲：他不会吗？乙：对了，他不会。甲：他不会啊？乙：嗯，不会。

(b) 1. 甲：你是美国人不是？乙：是，我是美国人。甲：你是吗？乙：对了，我是。甲：你是啊？乙：也，是。

2. 甲：他是美国人不是？乙：不是，他不是美国人。甲：他不是吗？对了，他不是。甲：不是啊？乙：嗯，不是。

(c) 1. 甲：你会说「一，二，三，四」不会？乙：会，我会说「一，二，三，四」。甲：你会吗？乙：对了我会说。甲：你会啊？乙：也，我会。

2. 甲：他会说「一，二，三，四」不会？乙：不会，他不会说「一，二，三，四」。甲：他不会吗？乙：对了，他不会说。甲：他不会啊？乙：嗯，不会。

(d) 1. 甲：这儿有灯没有？乙：有，这儿有灯。甲：有灯吗？乙：对了，有灯。甲：这有灯啊？乙：也，有。

2. 甲：那儿有灯没有？乙：没有，那儿没有灯。甲：那儿没有灯吗？乙：对了，没有灯。甲：那儿没有灯啊？乙：嗯，没有。

(e) 1. 甲：你知道我在哪儿不知道？乙：知道，我知道你在哪儿。甲：你知道吗？乙：对了，我知道。甲：你知道啊？乙：欸，知道。

2. 甲：他知道我在哪儿不知道？乙：不知道，他不知道你在哪儿。甲：他不知道吗？乙：对了，他不知道。甲：他不知道啊？乙：嗯，不知道。

(f) 1. 甲：这么说对不对？乙：对，这么说对。甲：这么说对吗？乙：对了，这么说对。甲：这么说对啊？乙：欸，对。

2. 甲：那么说对不对？乙：不对，那么说不对。甲：那么说不对吗？乙：对了，那么说不对。甲：那么说不对啊？乙：嗯，不对。(下略)

---

## 第四課 練習題

一、(a) 你聽，是門鈴儿還是電話呀？ (b) 王二姓甚麽？ (c) 那麽李四呐？ (d) 昨儿禮拜六，今儿禮拜幾呐？ (e) 明儿呐？ (f) 中國也有飛機没有？ (g) 英國飛機好還是美國飛機好啊？ (h) 你電話[62]是幾號？ (i) 從禮拜三到禮拜六有幾天？ (j) 今儿禮拜三，老李說，「老張，我今儿没空儿上你這儿來，我明儿再來罷。」那麽你想老李哪天上老張那儿去呐？ (k) 他要我今儿或者明儿來啊？ (l) 你說的是美國話還是英國話呀？

四、(a) 我聽見——響，所以我上——那儿去開——。 (b) 不是電話響，所以我不上電話——。 (c) 禮拜一是一號，禮拜二是——號，所以禮拜日是——號。 (d) 從中國來的報上有中國的——，從英國來的報上有——。 (e) 你是坐船來的——坐飛機——？

(h)燈在這儿·凳子不在這儿，凳子在——.
(g)今儿去——明儿去都好. (h)今儿不開門，明儿——開門·呐. (i)你知道·不知道他現在就來——明儿再來·啊？ (j)我——他今儿就——.
(k)你要——車來·呐，——要坐——來·呐？ (l)——來——坐——來沒甚·麽不同.

五. 舉例——

誤點‖來晚·了. 甚·麽叫誤點·啊？ 誤點是甚·麽意·思·啊？ 誤點就是來晚·了·的意·思.

(a)誰‖甚·麽人？ (b)咱們‖你跟我，或者你們跟我們. (c)我們‖我跟他，或者我跟他們. (d)是·不是‖是，還·是不是. (e)有沒·有‖有，還·是沒有. (f)瞧瞧‖看看. (g)一雙‖兩個. (h)我們個個儿‖我們人人. (i)會說‖知·道怎·麽說. (j)英文‖英國話. (k)不同‖不一樣. (l)懂‖知道是甚·麽意·思.

---

## 第四課 答案

一. (a)我想是電話. (b)王二姐子啊. (c)書的姓李啊. (d)明儿禮拜六今儿就是禮拜五. (e)明儿啊？ 嗯——明儿禮拜一. (f)有，中國也有飛機. (g)我不知道還是英國飛機好，還是美國飛機好. (h)我呢？我要說是——. (i)這禮拜三跟禮拜二去的是. (j)我想他大概禮拜六去. (k)嗯，他要今儿或者明儿來. (l)我說的也不是美國話也不是英國話，我說的是中國話.

四. (a)門鈴儿，門，門. (b)那儿去. (c)二，一. (d)新聞，英國的新聞. (e)還是，書的啊. (f)老王那儿. (g)或者 (h)才 (i)還是 (j)要，要. (k)坐，還是，船. (l)走還不，或者，車.

五. (a)什麼叫誰啊？誰是什麼意思啊？ 誰就是什麼人的意思. (b)什麼叫咱們啊？

咱們是什麼意思啊？咱們就是你跟我或者你們跟我們的意思。(c)什麼叫我們啊？我們是什麼意思啊？我們就是我跟他，或者我跟他們的意思。(下完)

六、來電話，要人兒，對了。喂！您是王先生嗎？是哪位王先生啊？王二先生這是王先生家啊？什麼？我聽不清楚你說什麼。請你說慢一點兒說，噢？你不是王先生嗎？你不是王先生啊？哦，你就是陳三啊！我不知道就是你。你昨兒怎麼不來看我呀？噢？什麼？你來了嗎？你幾時來的？你人兒來的嗎？你今兒來的啊？你坐什麼來的？你上午來的還是下午來的。來的呢？他沒跟你來嗎？他從他這兒來沒空兒啊？哦，我懂了，現在我才懂你的意思。那麼明兒見了。再見，再見。

---

# 第五課 練習題

一、(a)報上沒有新聞。(b)中國的報上沒有外國新聞。(c)外國書裏頭有中國字。(d)黑板上寫的字是黑的。(e)用鉛筆寫的字是黑的。(f)現在課堂裏沒人。(g)第三課在第一課第二課的中間兒。(h)我現在用右手寫字吶。(i)我現在說的是中國話。(j)那盞燈在我前頭。(k)門鈴兒響的時候兒外頭沒人。(l)這所房子裏有五十幾間屋子。

二、(a)黑板上寫黑字看得見看不見啊？(b)為甚麼吶？(c)你是用哪隻手拿筷子的？(d)這間屋子有幾個門啊？(e)十幾本書跟十幾本書是幾本書啊？(f)用粉筆寫出來的字是黑的還是粉的？(g)書不開的時候兒，裏頭的字看得見看不見啊？(h)中國字從哪邊兒往哪邊兒寫？(i)寫外國字的時候兒吶？

(g)中國人說禮拜日在禮拜一的前頭還是後頭啊？ (h)禮拜一到禮拜日中間儿的幾個日子叫甚麼？ (i)黑書裏頭為甚麼不完全是黑的？

三、舉例—我不能寫字；我沒紙筆：

(1)我不能寫字。

(2)你怎麼(或為甚麼)不能寫字呐？

(3)我沒紙筆啊。

(4)哦，你因為沒紙筆，所以不能寫字，是不是？

(5)對了。

(a)王三不看報；王三不會看報。 (b)他走到門那儿；門鈴儿響了。 (c)我會同時寫兩個不同的字；我有兩隻手。 (d)咱們在裏頭聽得見人在外頭嚷；外頭的人嚷的響。 (e)(我昨儿聽說老王今儿來，可是)他明儿才來呐；他今儿有事。 (f)今儿在昨儿跟明儿的中間儿；今儿在昨儿的後頭，在明儿的前頭。 (g)白紙上寫「白」字還看得見；白紙上寫的「白」字是黑的。 (h)人人都跟我說中國話；我現在會說中國話了。 (i)我跟他那麼大聲儿說話；他說他聽不見我說甚麼。 (j)這個字我寫不出來；我不知道是怎麼寫的。 (k)老王是用左手寫字的；他用右手寫字的時候儿寫不好。 (l)我不知道你在外頭那麼些時候儿了；我們門鈴儿不響了。

四、舉例—你中國話說的好：

(1)你中國話說的好不好？

(2)我中國說的不好。

(3)怎麼呐？(或為甚麼呐？)

(4)因為啊，因為我說不好，所以說的不好。

(5)哦，因為你說不好，所以說的不好啊？

(b) 也，對了.
(a) 他用毛筆寫字寫[45]的好. (b) 這個外國人說中國話說的對. (c) 用我這枝鋼筆寫字寫的黑. (d) 這位先生說話說的清楚. (e) 中國人說中國話說的慢. (f) 拿粉筆在白紙上寫字或者拿鉛筆在黑板上寫字寫的清楚.

五. 舉例—你看見飛機了.
(1) 你看見飛機了沒有?
(2) 沒有，我沒看見飛機.
(3) 你怎麼沒看見飛機呐?
(4) 因為我看不見飛機，所以我沒看見飛機.
(5) (隨便加一句) 飛機也許誤點了罷.
(a) 你聽見我說的是甚麼了. (b) 我那件事跟他說清楚了. (c) 王二聽出他是老三來了. (d) 他們昨兒看出那兩枝是誰的筆來了. (e) 昨兒老張對我在電話裏說清楚了. (f) 他聽出你是美國人來了.

---

## 第五課 答案

一. (a) 不，不對，報上有新聞. (b) 不對，中國的報上有時候兒有外國新聞. (c) 嗯—不完全對，有時候兒外國書裡有點兒中國字. (d) 不對，黑板上寫的字是白的. (e) 對了，用鉛筆寫的字是黑的. (f) 不，現在課堂裡有人. (g) 不對，第三課在第一課第二課的後頭. (h) 嗯，你現在用右手—也，也，不，現在你用左手寫字了. (i) 對了，你現在說的是中國話. (j) 不對，那盞燈在你後頭. (k) 不對，門鈴兒響的時候兒外邊有人. (l) 不對吧? 我想大概是有二十幾個.

二. (a) 黑板上寫黑字看不見. (b) 因為黑板是黑的，字也是黑的. (c) 我是用右—啊，啊，哎呀! 外國人會好好的使筷子. (d) 這間屋子有兩門 (e) 十九本書

纸十九本书或者几本或者卅几本书.

(f) 用粉笔写出来的字，也不是黑的，也不是粉的，是白的. (g) 书不开的时候儿裡头的字看不见. (h) 中国的字是从上头右边儿往底下写的. (i) 写外国字的时候儿是从左边儿往右写的. (j) 中国人说礼拜日在礼拜一的後头. (k) 礼拜一到礼拜六中间儿的日子叫礼拜一，……，礼拜六. (l) 因为黑书裡的纸是白的.

三. (a) 1. 王二不看报. 2. 他怎么不看报呐? 3. 王二不会看报啊. 4. 喔，他因为不会看报，所以不看报，是不是? 5. 对了.

(b) 1. 他走到门那儿. 2. 他为什么走到门那儿呢? 3. 因为门铃儿响哪. 4. 喔，他因为门铃儿响了，所以走到门那儿，是不是? 5. 对了.

(c) 1. 我会同时写两个不同的字. 2. 你怎么会同时写两个不同的字呐? 3. 我有两只手啊. 4. 哦，你因为有两只手，所以会同时写两个不同的字，是不是? 5. 对了. (下略)

四. (a) 1. 他用毛笔写字写的好不好? 2. 他用毛笔写字写的不好. 3. 为什么呢? 4. 因为啊，因为笔也写不好，所以写的不好. 5. 哦，因为他写不好所以写的不好啊? 6. 也，对了.

(b) 1. 这个外国人说中国话说的对不对? 2. 他说的不对. 3. 怎么呐? 4. 因为啊，因为他说不对，所以说的不对. 5. 哦，因为他说不对所以说的不对啊? 6. 对了. (下略)

五. (a) 1. 你听见我说的是什么了没有? 2. 没有，我没听见你说的是什么. 3. 你怎么没听见呐? 4. 因为我听不见你说的是什么，所以没听见. 5. 我再去[illegible]说一遍吧?

(b) 1. 你那件事跟他说清楚了没有? 2. 我没跟他说清楚. 3. 你怎么没跟他说清楚呐? 4. 因为我跟他说不清楚，所以没说清楚. 5. 也许他不懂你的话吧? (下略)

# 第六課 練習題

一、(a)你吃完了晚飯抽點兒什麼烟啊？(b)你今天吃了幾碗飯？(c)你會在一個烟圈兒裏再吹一個烟圈兒不會？(d)睡着了的時候兒看得見東西嗎？(e)睡着了的時候兒說話不說？(f)海的中間兒要是有地，那塊地叫什麼？(g)飛機飛的快還是船走的快？(h)「現在」這兩個字是甚麼意思？(i)要是人從山上摔下來，他就怎麼樣兒啊？(j)你要是累了，那就做點兒什麼好吶？(k)要是飛機掉得樹上，是什麼樣兒的聲音？(l)要是你要他不那麼大聲兒說話，你就怎麼對他說吶？

二、舉例

(I) 剛才我聽不見：

(1)剛才我聽不見。
(2)你現在聽得見聽不見吶？
(3)現在啊，現在我聽得見了。
(4)這會兒吶？
(5)也，真奇怪，這會兒又聽不見了。

(II) 我昨天說話說的慢：

(1)我昨天說話說的慢。
(2)你今天說話說的慢不慢吶？
(3)今天啊，今天我說的快了。
(4)現在吶？
(5)也，真奇怪，現在我說的又慢了。

(a)我剛才老飛不起來。(b)我剛才聽不出你說什麼來。(c)我昨兒中國話說的不好。(d)剛才好像聽得見那個鐘走的聲音。(e)昨兒我那個烟圈兒老吹不散。(f)那時候兒我一坐船就睡不着。(g)我今兒上午聽不見聲音。(h)你剛才說話說的那麼快。(i)昨兒這架飛機飛的慢。(j)我剛才以為這些香烟咱們抽不完。(k)我剛才以為那個人摔得海裏淹不死的。

(l) 昨天上午他說話說的清楚.

三. 舉例

這.是一扇門; 請快.點兒開.開.他!

請快.點兒把這扇門開.開!

(a) 那是今天的報; 快看完了他. (b) 這.是一屋子的烟; 我要吹散了他. (c) 這是你的飯; 你還沒喫完他吶. (d) 這.是你自己的事情; 你今天能辦完了他嗎? (e) 那.是.件要緊的事; 你快.點兒做完了他! (f) 那是他的眼睛; 他能不能睜.開.他? (g) 那是你昨兒做的夢; 我請你再說一.遍. (h) 這.是你剛才想的意思; 現在我才懂清楚了. (i) 這.是.「高」字; 請你說清楚了他. (j) 那.是.個英文字; 你沒說對.他. (k) 這.是.個中國字; 你為什麼不寫好了他. (l) 那.是三雙筷.子; 請你現在包好了他.

第六課答案

一. (a) 我不會抽煙, 所以我吃完了飯不抽烟. (b) 我吃了兩碗飯. (c) 我只.會吹一个烟圈儿, 我不會在那个烟圈裡再吹一个烟圈儿. (d) 睡著的時候儿看不見東西, 也, 也許看得見, 要是做夢就看見了. 也. (e) 說, 有的人說, 有的人一睡著了就說話. (f) 叫海島. (g) 飛机飛的快啥. (h) 「現在」兩个字就是這个時候儿的意思. (i) 那就擠死啦. (j) 抽抽烟啊, 看看報啊, 都好啊. (k) 飛机擠得樹上就發出嗡嗡的一声. (l) 我就說, 也, 別那么大声儿說話!

二. (a) 1. 我剛才想不起來. 2. 你現在記得起來記不起來吶? 3. 現在啊? 現在我記得起來了. 4. 這会儿吶? 5. 也, 真奇怪, 這会儿又記不起來了.

(b) 1. 我剛才聽不出你說什么來. 2. 你現在聽得出聽不出我說什么來吶? 3. 現在聽得出來了. 4. 這会儿吶? 5. 也, 真奇怪, 這会儿又聽不出來了.

(c) 1. 我聽人說中國話說得不好. 2. 你今兒中國話說得好不好呢? 3. 今兒啊? 今兒說的好了. 4. 現在呢? 5. 也, 真奇怪, 現在說的不怎好了. (下略)

三. (a) 請把今兒的報告寫完了! (b) 我要把這一屋子的烟吹散了. (c) 你還沒把你的飯吃完嗎. (d) 你今天能把你自己的事情辦完了嗎? (e) 你快點兒把那件要緊的事做完了! (f) 他能不能把他的眼睛睜開? (g) 我請你把你昨兒做的事再說一遍. (h) 現在我才把你剛才想的意思懂清楚了. (i) 請你把這「高」字寫清楚了. (j) 你沒把那個英文字寫錯. (k) 你為什麼不把這個中國字寫好了? (l) 請你現在把那個餃子包好了.

四. (a) 我吃飯的時候吃了三碗飯. (b) 真奇怪! 我以為是鉛筆的不是真的鉛筆, 是一種ゝゝ的紙做的樣子. (c) 你看電視機裏的不是? (d) 糟了, 我的表掉得水裏了. 怎麼辦呢? (e) 讓我看這個錶上有的剛才聽見的時間沒有. (f) 他跑的越快我越不懂. (g) 海島上有許多大樹. (h) 四面一個人也看不見. (i) 又過了一會兒, 真的他還睜得開眼睛. (j) 說時遲, 那時快, 一個人說他上樓給你拿了. (k) 糟糕, 我連「一」字都寫不出來了. (l) 哎呀! 從飛機上飛下來的那些東西是什麼呀?

## 第七課 練習題

一.(a)他們管譚步亭先生還叫些甚麼名字啊?(b)為甚麼他們管他叫那些名字呐?(c)人說夢話的時候兒是不是一定在那兒做夢?(d)飛機走的比火車只快一點兒嗎?(e)「壞」字是甚麼意思啊?(f)「太多」兩個字是甚麼意思呐?(g)這課裏說的那位先生他吃飯吃的快不快?(h)他有時候兒拿甚麼寫字?(i)你要是在他說話的時候兒跟他打岔,他就怎麼呐?(j)譚步亭先生談到甚麼日子才會停呐?(k)太陽幾時才從西邊兒出來?(l)你說話說的多還是譚先生說的多?

二.舉例

我比他大;

要是你比他大,

他就沒有你那麼大.

(a)一棵樹比一個人高.(b)用毛筆寫的字比用鉛筆寫的字好看.(c)火車比輪船走的快.(d)報紙比包東西的紙白.(e)他吃飯比我吃的多.(f)他中文比英文寫的清楚.(g)譚步亭說話的時候兒比吃東西的時候兒多.(h)我們比我們的先生來的早.(i)你說話的聲音比我嚷的聲音還更高.(j)我上午比下午餓.(k)火車比輪船長,也比他快.(l)凳子比桌子低,也比他小.

三.(翻譯)

四.舉例—他看見了人才說話呐?

他還沒看見人的時候兒老不說話.

但是(或:可是)一看見了人就說起話來了.(或:就起頭兒說話了)

(a)他早晨起來了才吃東西呐.(b)譚先生睡着了才說夢話呐.(c)一個人做事做的多才覺着累呐.(d)有人在門外頭的時候兒門鈴兒才響呐.(e)這位先生老

是聽見了火車的聲音了才記得他是要坐火車的呐。(f) 他到餓的不得了了才去吃飯呐。(g) 你搗住他的嘴他才不跟你打岔呐。(h) 我吃完了飯才抽烟呐。(i) 醒了才能聽見鐘走的聲音呐。(j) 我怕我到了中國才會拿筷子吃東西呐。(k) 這儿等到夜裏十二點鐘以後才聽得見從中國廣播出來的新聞呐。(l) 世界上的事情等到做了以後才能知道會做不會呐。

五. 舉例——英文，來，come:

英文管「來」叫甚麽？

英文管「來」叫「come」，「come」就是「來」的意思。

(a) 現在人，話匣子，留聲機。(b) 他們都，那個老喜歡說話的人，譚步亭。(c) 中國話，睡覺的時候儿說話，說夢話。(d) 中文，no matter how，隨便怎麽，或者不管怎麽樣儿。(e) 中國話，the people in the world，世界上的人。(f) 這位先生，越快越好，愈快愈好。(g) 英文，不至於那麽樣儿，not as bad as that。(h) 這儿的話，上午跟下午(的)中間儿的時候儿，晌午。(i) 中國話，想喝水，渴。(j) 中國話，to find that 或者 to notice that . . .，覺着。(k) 這儿的人，不會有的事情，西天出了太陽。(l) 中國話，人家說話的時候儿你跟他鬧，打岔。

## 第七課 答案

一. (a) 他们管他叫留声机，广播电台，还有些别的奇怪的名字。(b) 因为他顶喜欢说话。(c) 不一定，有时候儿不做梦的时候儿说话。(d) 不，飞机真的比火车快的多。(e) 搞是不明白的意思。(f) 要是你不要那么多，你就说「太多，太多了」。(g) 那位先生吃饭的快慢完全没有一定的，有时候儿

挺快，有时候儿挺慢。(h)你有时候儿买些纸，一点儿拿笔子写字。(i)你越跟他打岔他就越说不完。(j)因为他们说不停所以他没有停的日子似的。（下笔）

二、(a)要是一棵树比一个人高，一个人就没有一棵树那么高。(b)要是用毛笔写的字比用铅笔写的字好看，用铅笔写的字就没有用毛笔写的字那么好看。(c)要是大车比轿车走的快，轿车就没有大车走的那么快。(d)要是报纸比包东西的纸白，包东西的纸就没有报纸那么白。(e)要是他经验的比你多，你就没有他经验的那么多。(f)要是他中文比英文写得清楚，他英文就没有中文写的那么清楚。(g)要是谭先生说话的时候儿比吃东西的时候儿多，他吃东西的时候儿就没有说话的时候儿多。(h)要是你们比你们的先生来的早，你们的先生就没有你们来的早。(i)要是我说话的声音比你嚷的声音还更高，你嚷的声音就没有我说话的声音那么高。(j)要是你上午比下午饿，你下午就没有上午那么饿。(k)要是大车比轿车贵也比他快，轿车就没有大车那么贵，也没他那么快。(l)要是凳子比桌子低，也比他小，桌子就没有凳子那么低，也没有他那么小。

三、(a)他们当他什么不停先生，也许他们塞揩查告。(b)他不是读过了，就是读那了。(c)不管什么时候儿，他总不记着吃饭。(d)我越想飞越飞不起来。(e)他说他看见过什么什么人，做过什么什么事。(f)我看见的人越多我越喜欢看见人。(g)他惯着了这老说话。(h)他难道说不抽烟吗？(i)我跟他不是完全不懂中文，有点也差不多了。(j)别跟我打岔！我有事。(k)他做事的情形总是没有一定的。(l)我们简直没办法。

四.(a)他早晨從起來的時候儿老是吃東西，可是一起來了就吃點東西來了.(b)譯先生從前念書的時候儿，老是說着話，可是一睡着了就說起話來了.(c)有人做事從來沒的多的時候儿老是笑着哭，但是做多了就哭起來儿笑着哭了.(d)從前有人在外頭的時候儿他錢儿老不夠，但是有人在外頭，他錢儿就夠起來了.(下略)

五.(a)說正反當說理字的什麼? 說在反當說理字的兩方面，一方面都是說理字的意思.(b)他們那個字當那個老妻說話的什麼? 他們都會說話譯不了，譯不了就是老妻說話的意思.(c)中國話當從前說什麼? 中國話當從前說說話的時候儿說話的意思.(下略)

---

# 第八課 練習題

二.(a)世界上的東西，樣樣儿都有正面儿反面儿的.(b)這句話裏頭的道理，沒有人不明白的.(c)「大」跟「短」是一正一反.(d)學說中國話是很容易的事情.(e)一個人睡着了就聽不見人家說話的聲音了.(f)危險的事情人人都敢做.(g)父母子女是兩對正反字.(h)聽，說，看，寫，是一件事.(i)你除非會看中國書才能說中國話呐.(j)王先生因為不怕危險，所以不敢坐飛機.(k)沒空儿跟有事情做是一個正面儿一個反面儿.(l)英文看起來好像很好學，其實一點儿都不好學. 三.(翻譯)

四.舉例

第一天，第二天，第三天. 你是哪天看完這本書的? 這本書我第一天還沒起頭儿看;

第二天(你打電話給我的時候儿)我正
在那儿看着呐;
到了第三天我才把這本書看完了.
(a)前天,昨天,今天,你們是哪一天上完第八課的? (b)十分鐘以前,剛才,這會儿,你是甚麼時候儿吃完了那一大碗飯的? (c)禮拜天,禮拜一,禮拜二.你是那天出去買了那一大些毛筆來的? (d)六個禮拜以前,過了一個禮拜,現在.這個外國人是甚麼時候儿學會了中國話的? (e)我們都醒着的時候儿,我們快要睡覺的時候儿,我們人人都睡着了的時候儿,老譚是甚麼時候儿寫完這一課裡的中國字的? (f)電話還沒响的時候儿,我正在那儿打電話的時候儿,我打完了電話以後.你知道我是甚麼時候儿想出他叫甚麼名字來的? (g)我進去的時候儿,我出來的時候儿,我又回去的時候儿.先生甚麼時候儿上新課的? (h)昨儿夜裏十二點鐘,過了一會儿,又過了一會儿.你知道我甚麼時候儿做完了那個很奇怪的夢?

五.舉例

說的重.

A.說的這麼重,夠重不夠重啦?
B.不夠重,還得說重一點儿.
A.這麼重,行不行啦?
B.不行,不行!再重點儿,我告送你還得說的更重一點儿嘿!

(a)寫的大 (b)打的響 (c)做的好 (d)說的清楚 (e)飛的高 (f)走的快 (g)起來的早 (h)寫的正 (i)說的好聽 (j)到的早 (k)買的多 (l)寫的好看

第八課 答案

二.(a)對了,真的東西都是有個兩面儿.

的.

(b)是的,這句話的道理我們都[illegible]

懂。(c)不對，大概雖不是完全相反的。

(d)不，我想你的意思是說中國話並不是件很容易的事。(e)不，我想叫得醒，不然怎麼叫得醒他呐？

(f)不對，我說的是外國人能給爸媽的事情。(g)不是的，父母子女是相對的字，不是相反的字。(h)不對，不對，這兩件事不完全一樣！(i)不定，很多人全說中國話，不是中國畫一定都不會畫。(j)那真奇怪，要是不給爸說那他為甚麼不能坐飛機呐？(k)不對，不然因為有事他才改主意呐！(l)對了，英文好像很容易學，不是甚麼難學極了。

三.(a)這屋子裏的東西沒有甚麼不知道叫什麼的。(b)你為什麼不怕說錯把這個搬出來？(c)這是天天兒聽見的話。(d)到了今天晚上的新聞已經聽夠了。

---

(e)有人說著的時候兒就不是坐著，醒著的時候兒就不是睡著(音"之")，有這一個人睡著的時候兒也許也那兒說話，因為有的人說夢話。(f)你會不會同時寫中文字跟英文字啊？(g)我不喜歡用不難寫又難懂的字。(h)我可以問你句話？(i)請他上這兒來坐，得我左邊兒。(j)你是不願意把這個給他，你還是不敢給他呐？(k)我也不是不願意，也不是不敢，我就是沒看見他。(l)我一看見他就去送他，行不行？

四.(a)第八課我們前天還沒有說完兒了；昨天你們上第七的時候兒我們已經在那兒上第八課呐；到了今天我們才把那課上完了。(b)那一大碗飯我十分鐘以前還沒起頭兒吃；剛才你叫我的時候兒我正在那兒吃著呐；這會兒我才把那一大碗飯都吃完了。(下略)

五.(從略)

## 第九課 練習題

一、舉例—

問：好不好？多不多？

答：好是好，可是(或：但是，不過)不多．

問：會做不會？今儿一定做得完嗎？

答：做是會做，(或：會是會，或：會做是會做)，不過今儿不一定做得完．

(a)想去嗎？現在去嗎？ (b)吃了沒有？吃的東西夠不夠？ (c)你喜歡讀中國書嗎？你認得的中國字多不多？ (d)你睡着了做夢不做？說不說夢話？

二、舉例—

這位先生又愛說好話，又喜歡做好事．

這位先生不但愛說好話，而且(或：並且)喜歡做好事．

(a)這個人心又壞，心裏又不清楚． (b)王太太又會說外國話，又會寫外國字．

(c)他說的話又奇怪，聲音又難懂． (d)拿鋼筆寫字，又比鉛筆好寫，又比他好看．

三、舉例—

他不會上海話不要緊也，他會廣州話也！

他雖然不會上海話，可是他會廣州話．

(a)我沒到過南京也，我到過北平也！ (b)他說的話不好聽也，他寫的字很好看也！ (c)我不知道他名子叫甚麼也！ (d)沒有姓說的也，只有姓談的也！

四、舉例—

這個東西很好！

這個東西好的很，怎麼這麼好？

真好極了！

(a)他說的那種話很特別． (b)這個

人很奇怪。(c)這個女孩儿很好看。(d)這本儿書裏頭的事情很好玩儿。

五．舉例——

既然不認得字，當然更不會讀書咯！

連字都不認得，那還讀甚麼書呐？

(a)既然不能做小事，當然更不能做大事咯！(b)既然不敢坐汽車，當然更不敢坐飛機咯！(c)既然看不見報，當然更看不見報上的新聞咯！(d)他既然不會抽煙，當然更不會吹煙圈儿咯！

## 第九課　答案

一．(a)想(去)是想去，可是現在不想去。(b)吃是吃了，但是吃的東西不夠。(c)我中國書喜歡是喜歡讀，不過認得的字不多。(d)我睡着了作夢是作夢，可是不說夢話。

二．(a)這個人不但心壞，並且心裡不清楚。(b)老太太不但會說外國話，並且會寫外國字。(c)他說的話不但奇怪，而且難懂。(d)拿鋼筆寫字不但比鉛筆好寫，並且比鉛筆寫的好看。

三．(從畧)

四．(從畧)

五．(a)連小事都不能做，那還做什麼大事呐？(b)連汽車都不敢坐，那還坐什麼飛機呐？(c)連報都看不見，那還看什麼報上的新聞呐？(d)他連煙都不會抽，那還吹什麼煙圈儿呐？

六．(a)他說的話有意思是很有意思，可是他一說起話來，就說不停了。(b)他是個讀書人啊，是沒有問題的。(c)你說你聽不懂他說的話，你怎麼知道他有那麼多話呐？(d)這些人連死都不怕，更不用說打仗了。(e)他什麼都不懂。(f)什麼時候儿都行。(g)我所知道的並不多。(h)這是我所最怕的事情。

# 第十課 練習題

一.舉例—

我吃完了飯了.—甲.那麼他吃完了沒有吶? 乙.沒有,他沒吃完.

(a)這個耗子的尾巴軋斷了. (b)第一個烟圈兒吹散了. (c)他坐的那個飛機掉得海裡了. (d)我把「大」字寫對了. (e)老張把英文學成了. (f)昨兒我出去了. (g)譚先生今兒早晨抽了二十根兒烟. (h)你的事情我告送了他了.

二.聽寫

三.翻譯

# 第十課 答案

一.(a)甲.那么那耗子的尾巴軋斷了沒有吶? 乙.沒有,沒軋斷. (b)甲.那么第二个烟圈兒吹散了沒有? 乙.沒有,第二个沒吹散. (c)甲.那么他自己人也掉得海裡去了嗎? 乙.沒有,他人沒掉得海裡去. (d)甲.那么,你把「大」字寫对了沒有? 乙.沒有.「大」字沒寫对. (e)甲.那么,老張把英文學成了沒有吶? 乙.沒有,他英文沒學會. (f)甲.那么,你昨兒出去了沒有吶? 乙.沒有,昨兒沒出去. (g)甲.那么,他今兒下午抽了沒有吶? 乙.沒有,他今兒下午一根兒也沒抽. (h)甲.那么,你的事情告送了他沒有吶? 乙.哎呀,沒有,我忘了.

二.(1)許多時候兒以為有了老主意,他樣樣兒事老是拿不定主意. (2)無論人家問他什么話,他總是也不給人家一个一定的回答的. (3)比方要是你告送他說,「今兒天氣不錯,嗄?」 (4)他就說,「也,這天兒不壞,可是也許不怎么樣,我怕這天兒就要颳風下雨吧—嘶—可是沒準兒太陽要出來了,那就要成好天兒了,不是嗎?」 (5)我們,我們,我也不知道這種天氣倒底是好是壞了. (6)有時候兒有人請他一塊兒上街去走走去,他就又拿不定主意了. (7)他不會兒就說早着(音「親」)有些兒

下个没完儿，一会儿又反过来说个岔事，
到了才有完儿。(8)一会儿这样儿，一会儿那样儿
的，谁也不知道他到底是什么意思。
(9)有一天晚上，差不多半夜十二点钟的
时候儿，忽然刮起大风，下起大雨来了。(10)跟
这位老先生住得一块儿的一班朋友们，
都被风雨的声音给惊醒了，可是他还在那儿
睡着(音「之」)不醒。(11)他那些朋友们就起来
叫他说「起来了，喂！别睡觉啦！起来起来！」
(12)那老头儿一半儿像醒了，一半儿又像还睡着了似的
那么懒懒儿的说，(13)「谁啊？谁在那儿那么大声儿
嚷啊？是不是已经天亮啦？(14)你们在外
头还那么黑，干么这么早就起来啊？你
们起的这么早呐？」(15)快跑罢，不然再
晚喽！房子马上就要塌了。(16)你再不起来，
我们不管了，我们得先跑了。」(17)「什么房子要
塌？你瞧这房子不是还好好儿的吗？」并没塌
下来啊！(18)我在这儿住了这么久，往来也

---

没听见人说过这房子会塌下来啊。」(19)他
正说着(音「之」)话的时候儿，雨越下越大，
风越刮越利害。(20)幸亏这位老先
生总是打不定主意的。(21)他刚说完了
房子不会塌的话，可是他想了一会儿又说，
(22)「唉呀，这房子摇得这么利害，也许真
的会倒了下来，那怎么办呐？得了吧，我也
走了。」(23)刚走到大门口儿，忽然雨又大起
来了。(24)他说「好家伙！雨这么大，还是
不走啦。」(25)话还没说完，忽然霹雳
的一声，哗喇喇的一响，那所儿破房子完全
倒了下来了。
(26)「猜儿猜儿猜儿」他是不是被房子给轧
死啦？(27)也，没有。你瞧，没死，可是呢？(28)
你知道是什么缘故吗？我告诉你吧。
(29)那所儿房子塌下来的时候儿啊，他的
身子已经到了门外头了，所以没被塌下来
的房子给轧死。(30)可是不久后：他那条

尾(音「以」)巴太點兒太長，(31)他剛鑽出[illegible]來了，尾巴還沒完全出來，所以讓倒下來的大柱子給軋斷了。(32)自從出了這事情以後，他就變成了一條禿尾兒了。(33)可是因此他也真成了一隻有決斷的老鼠了，不再像以前那麼老打不定主意了。

---

# 第十一課 練習題

一.舉例—

| | |
|---|---|
| 我走累了； | 我走的真累，累極了，我累的不得了； |
| 我說不出話來了。 | 我累的簡直話都說不出來了。 |

(a)雨下大了；聽不見說話的聲音了。(b)屋子裡冷了；我睡不着了。(c)這個天兒長了；晚上八點鐘還亮。(d)他等餓了；他看見別人的飯就想吃。(e)這個字寫小了；這個字都看不清楚了。(f)日子過的快；日子像飛似的了。(g)他說話說的多；他連吃飯的工夫兒都沒有了。(h)我做夢做的好玩兒；我都不願意醒了。

二.填寫

(a)今年是戊子年，就是西曆一千九百四十八年。去年是——，就是西曆——。前年是——，就是——。大前年是——，

就是——，明年是——，就是——，後年是——，就是——，大後年是——，就是——。

(b) 今天一號，昨天——，前天是——個月的——，大前天——，明天——，後天——，——天——。

(c) 這個月的二十三號是上禮拜的禮拜四，這個月的二十四號是上——，這個月的二十五號是——禮拜的禮拜——……

下個月的八號是下禮拜的禮拜六。

## 第十一課 答案

一、(a) 雨下的真大，太糟了，雨下的太大的不得了；雨下的太大的時候說話的声音都听不見了。(b) 屋子裡真冷，冷糟了，屋子裡冷的不得了；屋子裡冷的我們連晚上都睡不着了。(c) 這天真長，長糟了，長的不得了；這天長的時候晚上八點鐘都還亮。(d) 他等的真餓，餓糟了，他等的餓的不得了；他餓的時候看見別人的飯就想吃了。(e) 這個字寫的真小，小糟了，這個字寫的小的不得了；這字寫的小的時候看的都看不清楚了。(f) 日子過的真快，快糟了，日子過的快的不得了；日子過的快的時候都像飛的了。(g) 他說話說的真多，多糟了，他說話說的多的不得了；他說話說的多的時候連吃飯的工夫都沒有了。(h) 我做夢做的真好玩兒，好玩兒極了，我做夢做的好玩兒的不得了；我做夢做的好玩兒的時候都不願意醒了。

二、丁亥年，丁亥是一九四七年。丙戌年，戊子是一九四八年。乙酉年，戊子一九四八年。己丑，一九四九。庚寅，一九五〇。辛卯，一九五一。

(下略)

三、(a) 春分秋分是算[illegible]白天跟夜裡一樣長的兩個日子。(b) 我想不是，我想在春分以前就熱，秋分以後就天白天才短，夜裡一樣長呢。(c) 自從辛亥革命以後中國就變成了民

回了. (d) 從這个星期一起,天氣暖多了,我們不星期的是了有下半星期. (e) 哎呀,我忘了今兒禮拜幾了. (f) 我們得保護保護我一聽見大車來,我們的汽車就停了. (g) 如果落著下那么大的雪,不管下兒也不行. (h) 糟了,我忘了買的那个錶一定慢十分鐘.

---

## 第十二課 練習題

一. 舉例—

飛機沒掉·下來的時候兒還能逃出來; 飛機掉了·下來了就逃·不出來了.

飛機沒掉·下來以前,[49] 還來得及逃·出來; 飛機已經掉·下來了以後,可就來不及逃·出來了.

(a) 房子沒塌下來的時候兒還跑得出來; 房子塌了·下來了就跑·不出來了. (b) 駕駛員沒淹·死的時候兒還能把他救活了; 要是淹死了就救不活了. (c) 沒出了事,早上了汽油,還能趕得上救人; 出了事再去上油,那就趕不上救人了. (d) 這種話呀,你沒說錯的時候兒還能改; 說錯了就不能改了.

二. 翻譯

# 第十二課 答案

一 (a) 房子沒塌下來以前，還來得及跑出來；房子塌下來了以後可就來不及跑出來了。 (b) 駕駛員沒淹死以前還來得及把他救活了；駕駛員已經淹死了以後可就來不及救活他了。 (c) 沒出事以前，早上了陸地，還來得及趕上救人；已經出了事以後，再去上陸地，那就來不及趕上救人了。 (d) 這種話呀，沒說錯以前，還來得及改；說錯了以後可就來不及改了。

二 (a) 嘿，那兒水面兒上漂着的那個東西敢情就是咱們剛看見着火的那架飛機。 (b) 我以為是在降落傘底下吊着的那個駕駛員，敢情是白雲彩底下的一塊烏雲。 (c) 春分時候兒太陽從東邊兒出來的時候兒就是早晨六點鐘。 (d) 我找了半天，可是還沒找着。 (e) 他的眼睛一定瞎了，因為離他遠的東西的大小長短他都說不上來。 (f) 我拉他拉不上來，可是因為他太重了。 (g) 咱們得馬上把他叫醒了才行啊，不然他也許被塌下來的房子給軋死了。 (h) 糟糕，槳上哪兒去了？ (i) 小心螺旋槳！ (j) 我怕你把小汽艇開的離大船太遠了；你還能把小船兒開近兒[illegible]繩子扔給他嗎？ (k) 討厭！我又看不見他了。 (l) 你要是看見水上漂着兩把槳，你別管他。

## 第十三課 練習題

一、造句.

問：牛大夫解那間病室裡出來了.

他在這儿頂出名了.

二、舉例——

答：解那間病室裡出來的那位就是(那個——)這儿頂出名的(那個——)牛大夫.

(a) 李小姐在這個醫院裡做事. 她在這儿是最好看的了. (b) 那個華氏表在那張桌子上. 這個我頂不喜歡用了. (c) 那個駕駛員掉得海裡了. 他的飛機出了事. (d) 譚步亭先生現在在那儿一頭儿走着, 一頭儿吃東西. 譚步亭先生人家都管他叫留聲機或者廣播電台. (e) 李先生在那個課堂裡大聲儿說話. 他給我們講英文. (f) 那個小孩儿現在跟我一樣重. 他去年比我輕的多. (g) 你瞧我這個大腿現在可以隨便這麼動了. 我這大腿那回飛機出事摔斷了. (h) 那位醫生又高又大. 他昨儿給那個病人接骨了.

三、翻譯.

---

## 第十三課 答案

二 (a) 在這個醫院裡做事的那個就是在這儿最好看的李小姐. (b) 在那張桌子上的那個就是我頂不喜歡用的華氏表. (c) 掉得海裡的那個就是那個飛機出了事的那個駕駛員. (d) 現在在那儿一頭儿走着一頭儿吃東西的那個就是那個人家都管他叫留聲機或者廣播電台的那個譚步亭先生. (e) 在那個課堂裡大聲儿說話的就是給我們講英文的李先生. (f) 現在跟我一樣重的那個就是那個去年比我輕的多的那個小孩儿. (g) 你瞧我現在可以隨便這麼動的就是那回那個飛機出事摔斷

了的那麼大呢. (h)那个又高又大的人
就是喫飯給那个病人接着的那位醫生.
三. (a)世, 你是不是上這个醫院來了?
(b)和我有那个病人 昨天發了那么高的
燒 免得出人命. (c)燒, 高到攝氏
高, 了是這麼度高的燒. (d)哦, 那不
算是个厲害吧? (e)你得用大手術才
能好嗎? (f)這个手術可以光用針麻
的麻醉藥. (g)這種手術最要緊的
是什么東西都要消毒. (h)大夫一定
就來了, 你恐怕得來不及收拾屋子
裡的東西了.

---

# 第十四課 練習題

一. (a)——天上——病人發——發的
那麼——,要是他——臟吃不——,就得
給他——點兒——的針,要不然恐——就有
——的——險吧. (b)大便不通是因為
——不好的緣故,——便太多是因為
——臟有病的——. (c)人沒病的時——
身體的溫度是華——,就等於——
氏——. (d)——了就想——水,——了就想
——飯. (e)要是一個人的——臟不好,
就不能讓他使勁跑,要是——的太累了,
就——怕有——臟——不——的危——. (f)這
個醫院裡隨便什麼醫生——什麼
病都會——. (g)好在他——沒受傷,
要不然現在看不——東西了. (h)人人
得盡自己應——的——.

二. 舉例——

他起頭兒不發燒的——後來發燒發的連

時候ル還記得自己在哪ル. —— 自己在哪ル都不記得了.

(a)起頭ル不累的時候ル我眼睛還睜得開. (b)今天早晨雲彩少的時候ル還看得見太陽. (c)昨天嗓子不疼的時候ル還喝得下水. (d)上禮拜牙不疼的時候ル晚上還能做事情. (e)他起頭ル學中國話的時候ル說的沒中國人那麼快. (f)本來那所房子不搖的時候ル那些人還站得住. (g)剛才那隻船走的很近的時候ル可以聽得見聲音. (h)夏天日子長的時候ル八點鐘還看得見念書.

三.舉例——

他發燒,所以老渴. —— 他為甚麼老渴? 他所以老渴呀,是因為發燒的緣故.

---

(a)剛才被黑雲給擋住了,所以看不見. (b)這個人雖然受了傷,可是沒傳染毒菌,所以好的快. (c)那個人對人太不客氣,所以別人都討厭他. (d)他半路上沒有汽油了,得一路划着來,所以來晚了. (e)有幾個人在屋子裏淨搗亂,所以我一點ル也聽不見你說的話. (f)我平常總是用右手寫字的,所以左手寫字寫不好. (g)我老管飛機前頭會轉的那個東西叫「風扇」來着,所以你說「螺旋槳」我不懂. (h)現在手術消毒比從前消的好,所以比從前危險也少的多了.

第十四課 答案

一.(a)今,年,德,高,心,住,打,[illegible],的,[illegible],吃,不,住,老, (b)[illegible],[illegible],[illegible], 緣故, (c)候ル,[illegible], 攝, [illegible]. (d)傷,喝,餓,吃. (e)心,跑,

熱，心，吃，危險． (f) 隨便，說， (g) 眼睛，兒， (h) 談，畫，黃紙．

二．(a) 後來我累的連眼睛都睜不開了． (b) 下午雪越下越大，太陽都看不見了．(c) 今天嗓子疼的連水都喝不下了．(d) 這个禮拜牙疼的連白天都做不了事情了．(e) 從來他中國話說的連中國人都沒他那麼好了． (f) 後來那个房子搖的那幾个人連話都說不住了． (g) 現在那些船走的遠的連聲音都聽不見了． (h) 冬天日子短的連五點鐘都看不見東西了．

三．(a) 剛才為什麼看不見？剛才你所以看不見啊，是因為被黑雲擋住了的緣故． (b) 這个人為什麼病的那麼快？他所以病的快啊，是因為被蚊子咬了，可是沒傳染毒菌的緣故． (c) 那个人為什麼人人都討厭他？別人所以都討厭他呀，是因為他那人太不客氣的緣故． (d) 你為什麼來晚了？他所以來晚了啊，是因為在半路上修了汽油，得一路跑著來的緣故． (e) 你為什麼這人也聽不見我說的話？我所以一點也聽不見你的話呀，是因為有九个人在屋子裏吵鬧跟我搗亂的緣故． (f) 為什麼你左手寫字寫不好？我所以左手寫字寫不好啊，是因為我平常總是用右手寫字的緣故． (g) 我說「蝴蝶」你為什麼不懂？我所以不懂你說的「蝴蝶」啊，是因為我老家那裏大家都把這个東西叫「風蝶」的緣故． (h) 為什麼現在鄉下比城裏危險少的多？現在所以比城裏危險少的多啊，是因為城裏比鄉下汽車多的緣故．

## 第十五課　練習題

一．舉例——

咱們得先把世界地理溫理完了，然後我再（或：才）給你們講中國地理．

要等到咱們已經先把世界地理溫理完了之後，我才起頭儿給你們講中國地理吶；我的意思（就是說：在我還沒給你們講中國地理以前啊，咱們得先把世界地理溫理完了才行（或：好，或：成）．

(a) 我得先把飯吃完了，然後才能給你做事． (b) 從前德國想先把那些近點儿的小國併吞了，然後再把世界上所有的大國都給併吞了． (c) 你得先到紐約，然後才到華盛頓． (d) 船上的醫生先給了他點儿救急的藥，然後醫院裡的醫生才給他開刀． (e) 我得先把那間病室拾掇拾掇好，然後你們才能進去看病人． (f) 你先告送我你的意思，然後我再告送你我的意思． (g) 他先學會了說中國話，然後再學讀中國書． (h) 他的朋友先從病室裡走出來，然後他自各儿再慢慢儿的走出來．

二．舉例——

蘇彝士運河的東邊有紅海，西邊有地中海，也在亞洲非洲的中間儿．

(a) 美國　(b) 巴拿瑪運河　(c) 澳洲　(d) 法國　(e) 俄國　(f) 大西洋　(g) 非洲　(h) 南極洲

三．翻譯．

# 第十五課 答案

一.(a) 要等到我已經先把飯吃完了了以後，我才能想法兒給你做事呐。我的意思就是說，你我還沒給你做事以前哪，我得先把飯吃完了才成。(b) 從前清朝要等到已經先把那些近點兒的小國併吞了以後，他才想法兒併吞世界上所有的大國。我的意思就是說，在他還沒併吞世界上所有的大國以前哪，他得先把那些近點兒的小國併吞了才行。(c) 你要等到已經先到了網球場以後才能想法兒到華盛頓呐。我的意思是說，在你還沒到華盛頓以前哪，你得先到網球場才成。(下略)

二.(a) 美國的東邊兒有大西洋，西邊兒有太平洋，南邊兒有墨西哥，北邊兒有加拿大。(b) 巴拿馬運河在南美跟北美的中間兒，他的東邊兒是大西洋，西邊兒是太—也不對，不對，也許他的東邊兒是太平洋，西邊兒是大西洋！(c) 澳洲在南半球，東邊兒是太平洋，西邊兒是印度洋，南邊兒是南冰洋，北邊是中國南邊兒的南洋。(d) 法國東邊兒有德國，瑞士，東南有意大利，南邊兒有地中海，西南有西班牙，西邊兒是大西洋，北邊兒過海就是英國。(e) 俄國東邊兒是中國，西邊兒是歐洲各國，西南邊有小亞細亞，南邊兒有中國，北邊兒是北冰洋。(f) 大西洋在歐洲美洲的中間兒，北邊兒到北冰洋，南邊兒到南冰洋。(g) 非洲的東邊兒是印度洋，西邊兒跟西南都是大西洋，北邊兒有地中海。(h) 南極洲的東邊兒—嗐！什麼東西都在南極洲的北邊兒，那就無所謂東西南北了。

三.(a) 你知道不知道歐洲有什麼重要的國家？(b) 聯合國跟聯合國裡各國的關係很難解釋。(c) 既然他病的一點兒也不利害，那就無所謂過沒過危

險的什麼期了. (d)先生，你要問我什麼嗎？(e)我要問你還會不會背「天干地支」了. (f)你吃了這些了兩大碗飯，還吃得下那大塊肉嗎？(g)咱們學的這些字，除了也許有幾個以外，別的都是相當的重要的也！(h)你怎麼樣？你不會把這個弄錯了就是把那個弄糊塗了. (i)你心裡想著的不是從前的美國，是個現代的美國了.

---

## 第十六課 練習題

一、(a)要是你們—，咱們現在就開始—了. (b)—佔全—的—分之—. (c)—的—，大多數—. (d)是不是不是—就是—，是不是啊？(e)自從—以來，就漸漸的—比—了. (f)你想出一個—的—來嗎？(g)—不給我—說話. (h)—管—的—叫—.

二、翻譯

## 第十六課 答案

一、(從畧)

二、(a)病人兩個禮拜以前入了院，就是醫院的各部分住著這麼多天，他就漸漸的跟別人講甚麼不同了. (b)唐朝是古代最興旺的朝代之一. (c)我心裡想著的是：頂要緊的幾個朝代的名字. (d)在政治上，國防上，經濟上，文化上皆最

在某地住的幾省就是指南的幾省.(e) 他們的確是管美國東南的部分叫「南邊兒」. (f) 他說出來的緣故不全都有道理的. (g) 這兒的人往往分不出東南西北來. (h) 至於現在住在那所破房子裡的人們,多數都是後來搬進去的.

---

## 第十七課練習題

一.(a) 打這兒到那兒有一百二十里地.要是坐汽車去你想得走多少時候?要是拿腳走,一路又得歇歇吃吃東西甚麼的,那要多少時候呐? (b) 你早晨先做些甚麼事兒然後才起頭兒吃點心? (c) 水在海面兒上開得快還是在高山上開得快? (d) 甚麼叫「來不及」?「來不及」這個話是怎麼講的? (e) 合作有甚麼好處? (f) 照你的意見看起來,第二次世界戰爭以後,還會有第三次不會啦? (g) 中國最近這次抗戰,除了工人以外,還有甚麼也都搬到內地去了. (h) 建設工業有甚麼用處? (i) 英文管做一件事兒有兩個用處叫甚麼啊?中文呐? (j) 一件事兒,要是用舊法子做做不好,哪就怎麼辦呐? (k) 甚

麽叫生活程度底啊？說一個人的生活程度低是甚麽意思啊？ (l)甚麽叫留學生？留學生跟别的學生有甚麽不同吶？

二、舉例——

這儿有事没有？
我來找事做。

甲：你（他，等等）上這儿來幹麻（做甚麽，為甚麽來，等等）？
乙：我來問問這儿有事没有？……我是來找事做的。
甲：這儿哪有事啊？這儿也没事做，也没飯吃。

(a)他那儿有茶没有？我去找茶喝。 (b)你們家裡有書没有？我來找書念。 (c)屋裡有熱水没有？我來找水洗臉。 (d)船上有醫生没有？我來找醫生看病。 (e)你們工廠裡有會開汽車的没有？我來找開車的開汽車。 (f)你們這儿有紙没有？我來找紙寫字。 (g)這儿有會說中國話的没有？他們來找人跟他們說中國。 (h)你們這儿有馬没有？我來找馬騎。 (i)你們有好新聞告送我没有？我來找新聞聽。 (j)這本儿書裡有画儿没有？我來找画儿給小孩儿看。 (k)這個醫院裡有那種新發明的藥没有？我來找新藥給病人打針。 (l)屋裡有準一點儿的鐘没有？我來找個準點儿的鐘看時候儿。

## 第十七課 答案

一、(a)要是坐汽車，我們得走兩個多鐘頭，要是騎腳車，一路就得吃東西什麽的，我們得要一天半吧！ (b)我們早起得先洗了臉，漱了口，穿了衣裳，才能坐下吃早飯吶。 (c)水在高山上開得快。 (d)「來不及」就是「時候儿不够」的意思。 (e)會估計了以增加生產的數量，同時又可以把人民生

保险柜了。 (f) 我希望农业的人一天比
一天多，收入一天比一天少，那末也不必战争就
少了。 (g) 中国最近这次抗战各位工人，技
师跟他们的家眷，並且连机器也都搬到
内地去了。 (h) 建设工业又可以帮助没事
干没饭吃的工人解决了生活问题，还可以
造出许多日用必需的物品来。 (i) 英文
叫"……"中文叫「一笔两停」。 (j) 那就应
该把那笔债还了改成了好的清了。 (k) 生活程
度低就是人人所知道的，但是都不大好。
(l) 留学生就是从本国去读过书的学生。

二、(a) 甲、你上他那儿去干什么？乙、我到他那儿。
有茶喝没有？我是去找茶喝的。甲、那儿哪儿有茶
呀，那儿也没茶喝也没咖啡喝。(b) 甲、你上我们
家们来干嘛？乙、我来问问你们这儿有没
有？我是来找书念的。甲、我们这儿哪有书
啊？我们这儿也没书念，也没报看。(下略)

三、(a) 我说有多大的了，又点了刻去参观红

---

十字医院。(b) 能够快快的送到你府上一定咱们
病好起来就是了。(c) 请问你这个名字是
怎么讲的啊？他们为什么叫他那个？(d) 抗
战一起头的时候儿，各处的机关啊，工厂啊，
一下子的都搬到内地去了。(e) 他那些难民
出事的时候儿受的伤若不多完全好了。
(f) 用这个字作的方法，要以帮助的真儿做的
人，以后又可以造出更大些比常用的物品
来。(g) 学中国话到底先学好(国语)话，
最要紧的是天天把指了学会的字更更儿
拿来用。(h) 这个学校得有许多学
生做各种科学的研究。(i) 咱们这来
得了八点到那儿吗？ (j) 我把这一课念了
不知道多少遍才能把各书的各个背
出来。(k) 世，你们学得的内科医生跟外科
医生的分别就是在这个上。 (l) 这些
东西所以能够卖的这个便宜，是用本地
的材料的缘故。

## 第十八課 練習題

一、舉例——

我們起頭儿只做玩意儿；等到範圍擴大了以後，現在不但做玩意儿，並且也做真東西了。

我們本來光做玩意儿；後來把範圍擴大了，所以這會儿除了做玩意儿以外（或：之外），而且還做真東西了。

(a)這家工廠裡起頭儿只製造酒精；等到範圍擴大了以後，現在不但製造酒精並且也製造別種的化學品了。(b)我們起頭儿只學說中國話；等到程度提高了以後，現在不但學說中國話，並且也學寫中國字了。(c)那一家儿印刷所起頭儿只會印黑白的東西；等到法子改良了以後，現在不但能印黑白的東西，連有顏色的印刷品都會印了。(d)這儿起頭儿只給人治小病；等到設備漸漸的加多了以後，現在不但能治小病，並且也能開刀，接骨甚麼的了。

二、舉例——

開辦這個印刷所，可以提高人民的知識程度。

開辦這個印刷所有甚麼用處？開辦了這個嚜，好提高人民的智識程度啊。

(a)設立民生廠，可以製造日用必須的東西。(b)學中國話可以跟中國人合作。(c)我買這些電池，可以做電池的買賣。(d)世界上發明了許多種機器可以做人的力量所不能做的事情。(e)皮破了上碘酒可以消毒。(f)造橋可以過河。(g)造飛機可以在天上飛。(h)認得字可以讀書。

三、翻譯。

# 第十八課 答案

一、(a) 這家工廠裡本來光製造酒精；後來把範圍擴大了，所以這會兒除了製造酒精以外，而且還製造別種的化學品了。

(b) 我們本來光學說中國話；後來把程度提高了，所以這會兒除了學說中國話以外，而且還學寫中國字了。

(c) 那家兒印刷廠本來光會印黑白的東西；後來把設備改良了，所以這會兒除了印黑白的東西以外，而且還會印有顏色的印刷品了。

(d) 這兒本來光給人治小病；後來把設備漸漸的加多了，所以這會兒除了能給人治小病以外，而且還能給人開刀接骨什麼的了。

二、(a) 設立民生廠有什麼用處？設立了這个嚜，好製造日用必須的東西啊！ (b) 學中國話有什麼用處？學了這个嚜，好跟中國人合作呀！ (c) 你買這些電池有什麼用處？我買他嚜，好做電池的買賣啊！ (d) 專家們發明許多機器有什麼用處？發明了這些嚜，好做人的力量所不能做的事情啊！ (e) 皮破了上碘酒有什麼用處？上了碘酒嚜，好消毒啊！ (f) 造橋有什麼用處？造了橋嚜，好過河呀。 (g) 造飛機有什麼用處？造了那个嚜，好在天上飛啊！ (h) 認得字有什麼用處？認得了字嚜，好讀書啊！

三、(a) 勞駕，您哪，請問上長生醫院是怎麼走的啊？ (b) 走那邊第二條路往北拐，到了第二个紅綠燈再往東，一直走兩英里上下，一過了一座小山兒，就看得見那个醫院就在前頭，不會錯的。 (c) 孫先生，這是我的一个朋友張先生，剛從倫敦來參觀長陵的。 (d) 我們都喜歡從遠處兒來的客人。 (e) 人民先得有（發表）言論的自由，才能有政治（上）的自由。 (f) 我希望个个兒城裡都有好工廠。 (g) 這个工廠裡專門製造化學用品，

尤其是各種新發明的藥品。(h) 重工業裡用的機器很難搬到內地去；所以輕工業搬家兒搬得最早。

---

# 第十九課練習題

一、舉例——

壞處在哪兒吶？（或：有什麼壞吶？）最壞的就是他不會說中國話。——對了（或：也，等等）壞就壞在他不會說中國話；也，壞就壞在這個上。

(a) 好處在哪兒吶？最好的就是他身體內部沒有受傷。(b) 有甚麼難處吶？最難的就是他們倆彼此看見了老不說話。(c) 有什麼糟糕吶？最糟的就是我忘了他住得哪兒了。(d) 有什麼好玩兒吶？最好玩兒的就是可以養金魚。(e) 錯處在哪兒吶？最錯的就是不該租了一所兒夜夜鬧鬼的房子。(f) 有什麼討厭吶？最討厭的就是越叫他們別鬧他們就鬧的越利害。(g) 有什麼怪吶？最怪的就是同時又出太陽又下雨。(h) 妙處在哪兒吶？最妙的就是我看得

見他，他看不見我．

二、舉例——

| | |
|---|---|
| 骨頭摔斷了得接起來 | 骨頭摔斷了嘿，可以把摔斷了的骨頭給接起來啊． |

(a) 話說錯了得改對了．(b) 學生睡着了得叫醒了．(c) 電線拉折了得接起來．(d) 那棵死樹倒下來了得搬走．(e) 剛才話沒說清楚，得再說一遍．(f) 這幾種工業還沒很發達，得建設起來．(g) 這個月的房錢還沒付，得快點付了．(h) 有個人掉得河裡了，得快點救上來．

三、聽寫．

四、翻譯．

第十九課答案

一、(a) 好了，好就好在他家什物都沒有受傷；也，好又好在這个上．(b) 是的，难就难在他们彼此見了老不說話；也，难就难在這个上．(c) 对了，糟就糟在你忘了他住得哪儿了；也，糟就糟在那个上．(下略)

二、(a) 話說錯了嘿，可以把說錯了的話給改對啦．(b) 學生睡着了嘿，可以把睡着了的學生給叫醒啦．(c) 電線拉折了嘿，可以把拉折了的電線給接起來呀．(下略)

三、李先生，今兒房子租出去了．今兒晌午來了个張先生，張先生來看房子，我領着他們裏裏外外的看了一遍．他們看了很喜歡．那位太太還想在後院種種菜．他們問有沒有洗澡室，抽水馬桶沒有，我說沒有，他們說不要緊，沒有可以裝．他們問租多少錢，我就照着您上禮拜告送我的說租五十塊錢．他們馬上就定了要租．後來那位先生忽然想起來問說這兒是不是有点儿——有点儿——您知道誰都知道這房子是那个——

那個——那個——是一所兒很大的房子，他就有點兒打不定主意起來了。可是那位太太倒是不錯。她說她也不迷信，也不怕鬼，要是張先生不怕住這所房子，她更不怕。所以他們就買了這所房子，付了定錢給他了。這就是他們付的一大塊錢定錢。

---

## 第二十課 練習題

一、舉例——

他們臉上的顏色也變了，是因為嚇的很利害緣故。——他們嚇的利害的連臉上的顏色都變了。

(a) 他們把時候兒也忘了，是因為玩的很高興的緣故。(b) 我眼睛睜不開，是因為太陽照的很亮的緣故。(c) 不怕燙的人也不能喝這碗茶，是因為這茶煑的很燙的緣故。(d) 不信鬼的人也不肯住這所房子，是因為夜裡聲音鬧的很响的緣故。(e) 他什麼事情也不知道，是因為發燒發的很高的緣故。(f) 誰也看不見黑板上的字，是因為先生在黑板上寫字寫的很小的緣故。(g) 你喘不過氣來了，是因為你剛才跑的很快的緣故。(h) 這個美國人

說話,他本國人也聽不懂,是因為他
的口音說的很怪的緣故.
(第二十課答案從畧)

---

# 第二十一課練習題

一、造句:(a)對 (b)對於 (c)關於 (d)甚至(於)
(e)至於 (f)不至於

二、聽寫

## 第二十一課 答案

一、(從畧)

二、 你學中國話學了多少時候啦?
我呀,我學了有—學了不到兩年.
不到兩年就說的這麼好了嗎? —
我說剛學就會說了些,難就難在起頭.我學了差不多有一年的時候兒,
我說什麼話都會說了.可是壞就壞在我說話人家懂,人家說話我不懂.我老覺着中國人說話說的太快.不光是說的太快,並且他們說話的聲音好像也沒有他們所學的中國話那麼清楚似的.
你說的中國話比中國人說的中國話還更好.是不是啊!
女,可不是嗎?我老那麼覺着!他

們對我們說話的時候兒還好些兒．

哼，好些兒？

是啊，跟我們說話的時候兒，他們就好好兒的說了．可是他們自己跟自己當中要是一說起話來啊，那可就了不得了了！你聽了簡直是莫名其妙，你就根本就聽不出他說的是哪一國的話來．你就別想聽得懂一個字兒！簡直要命！呵呵，關於這個，呵呵，我有個很可笑的故事講給你聽——不是說著玩兒的，是真事情．從前有一回，我們上中文課的時候兒，來了一個參觀的人——也，我告訴過你了罷，這個故事？

沒有沒有，你說呀！

真的沒告訴過你嗎？

真的沒有，我一點兒也不記得是怎麼一回事兒．

好，那麼——這個——這個個——哦，

說到有人來參觀上課．那麼我們的先生就請那位客人對我們說話．他，他對我們說，甚麼，今天有這個機會跟我們這兒來參觀，覺著非常的高興，非常有趣味．他說他聽我們練習會話的時候兒，覺得我們音也讀得很準，話也說得很流利，甚麼甚麼的一大些客氣的話．我們聽了這些話，自己也覺著我們的本事真的不錯了都，呵，真了不得！可是那客人忽然回過頭去對著我們的先生用很低很低的聲音說了一大些話，我們全班的學生聽了半天，一個字也聽不出來．

他說的是不是國語啊？

別急啊，你聽我說呀！他——這個——他跟我們先生說完了那種奇奇怪怪的話以後，就回過頭來又接著對我們說話，說我們說得多麼好，說我們說的什麼話都

會說了，那么到了中国来服務的时候儿一定非常的方便的，甚么了了的。說完了以後，先生就讓我們大家問問題。你猜我這糊塗學生問了他一句什么糊塗話？

唔——我猜不着，什么？

## 第二十二課 練習題

一、舉例——

我認識了你那麼久了。現在得問問(你)你原籍是哪儿了。

我雖然認識了你那麼久，可是從來沒問過你原籍是哪儿；現在得起頭儿問問你了。

(a)我學會了說許多中國話了；現在要學學讀中國書了。(b)他到了中國有十幾年了；今年要上北平去逛逛了。(c)我是常州人；現在應該要到自己的家鄉去看看了。(d)你們認得了許多廣告上的字了；明儿要起頭儿認認書裡的字了。(e)我的兒子喜歡弄機器甚麼的；他現在要念點儿講自然科學的書了。(f)我對人今天也講三民主義，明天也講三民主義；

現在我得買本儿三民主義那部[60]書來讀讀了．(g)我看見過好多中國內地的山水；下個月我想到安徽的南部去逛逛黃山去了．(h)這一家儿工廠辦了這麼許多年；今年要辦一兩種重工業了．

二．舉例——

| | |
|---|---|
| 我小時候儿不會說南邊話． | 哦，那麼你南邊話是大了以後才學會了的嗎？ |

(a)我沒入學校以前，沒念英文．(b)車沒開以前是叫不着茶的．(c)我昨天沒聽見這件大新聞．(d)我們兄弟幾個人在學校的時候儿不讀唐詩三百首的．(e)我沒到美國來以前沒喫過外國飯．(f)沒搬進這所房子裡頭來的時候儿我不知道鬧鬼．(g)我沒聽見你念古詩以前以為中國念詩處處儿都是一樣的調儿．(h)我昨儿晚上睡覺的時候儿還沒覺着頭疼．

---

## 第二十二課 答案

一．(a)我雖然學會了說許多中國話，可是從來沒讀過中國書；現在得趕快儿讀讀中國書了．(b)他雖然到了中國有十几年，可是從來沒上北平去逛過；今年得趕快儿上那儿去逛逛了．(c)我雖然是常州人，可是從來沒到過自己的家鄉去看看；現在得趕快儿到家鄉去看看了．(下略)

二．(a)哦，那麼你英文是入了學校以後才念的嗎？(b)哦，那麼茶是開了車以後才叫得着嗎？(c)哦，那麼這件大新聞是今天才聽見的嗎？

(下略)

# 第二十三課 練習題

一、舉例——

我不喜歡念經書，可是很喜歡念孟子跟左傳。

我除了很喜歡念孟子跟左傳之外，其餘的經書我一樣兒也不喜歡念。

(a) 我不喜歡看深的顏色，可是喜歡看深紅跟深藍。 (b) 這個學生怕學自然科學的功課，可是他不怕數學。 (c) 真是莫名其妙，現在報上的許多文章差不多完全是用文言寫的，但是所謂「文學」那一部分倒是用白話寫的。 (d) 民生廠裡差不多什麼都會製造，就是不會製造從來沒在中國製造過的東西。 (e) 那位先生差不多總在那兒哼調兒，可是他嘴裡吃着東西的時候兒就不哼了。 (f) 世界上的大洲大多數都是在北半球，但是澳洲跟南極洲是整個兒在南半球的。 (g) 這個房子各地方都很乾淨，不過後院兒髒的不得了。 (h) 用中國字寫廣東話跟寫國語差不多是完全一樣的，但是有少數的字——好比「他」字啊，「看」字啊，「這」字，「那」字，「還」字，「是」字，什麼的——這些字廣東話跟國語就不同了。

二、翻譯。

三、白話文討論

---

# 第二十三課 答案

一、(a) 我除了喜歡看深紅跟深藍之外，其餘的深(的)顏色我一樣兒也不喜歡看。 (b) 這個學生除了不怕數學之外，其餘的自然科學的功課他樣樣兒都怕。 (c) 真是莫名其妙，現在報上的許多文章，除了所謂「文學」那一部分(是)用白話寫(的)之外，其餘的文章完全是用文言寫的。(下略)

二、(a) 我所以喜歡讀孟子，是因為孟子最像現代的中(國)文(言)的緣故。 (b) 我們的先生不許我們多看所謂閒書的時

候兒，我們就把他藏起來不經書的查問兒。(c) 我們學校裡的先生不但准我們看小說兒，而且還叫我們看的越多越好。(d) 我們覺着比較看書兒上看小說兒比在課堂裡抽烟還更過癮。(e) 你聽了這會的歷史以後，我想你一定會贊成這個運動的。(f) 為了好去買菜買東西，也許住得城裡熱鬧的地點好一點。(g) 白師課白話文運動裡頭，除比明清的小說兒啊，甚至於胡適自己寫的書啊，他甚都是以文言為主的。(h) 你不是贊成文學革命的人之一嗎？

三、(從畧)

# 第二十四課 練習題

## 第二十四課 答案

一、翻譯。

女生王：世，請問你，你回學校啦。

湯：世，趕緊哪！好久不見，你收到了我的信了嗎？

王：噢，你怎麼那麼像愛瞎說？寫那麼長的信！

湯：呵呵呵！我一我一

王：世，你幾時到的？

湯：我剛到，今兒早晨才到的，差一點兒趕不上開會。

王：趕不上什麼？

湯：開會，去禮堂開的會。今兒不是那個一

王：噢，今兒是星期一，不錯，我整個兒忘了這回事兒了。世，你們開會為些什麼事？請你講給我聽聽！

湯：我也遲到了，因為我們的火車誤了點，我們的洋車走得又那么——

三：你們？

湯：是啊，我跟老王一塊兒來的。

三：哦，老王啊！

湯：对了，趕我們把行李什么的放得宿舍裏再到大礼堂，他們已經開始唱國歌兒了。我們就偷偷兒的走了進去，坐得門口兒那兒兩个位子上。今天他們特別鬧得很；唱國歌的時候兒，他們淨不停的打噴嚏兒。我想也許是因為有个——也，你猜今兒有个誰來演說來着？

三：嗯，我猜不着，誰？

湯：我告訴了你吧，有个美國人用中文演說。是个從麻省劍橋的耶魯大學來的一个交換學生。

三：耶魯？耶魯大學不是在新港嗎？

湯：哦，我說錯了，是劍橋的哈佛大學，他的名字叫——他好像是姓蔡——蔡什么，我也記不大清了。

三：這个外國人的中國話說的怎么樣？

湯：不錯，說得不錯，說得很漂亮。還會用俗語開玩笑什么的呐。他一起頭兒就說什么——「天不怕地不怕，只怕洋鬼子學中國話！」

三：哈哈，洋鬼子管自各兒也叫洋鬼子。

湯：是啊，所以他會開玩笑麼！我聽說美國人淨愛這么樣兒，他們常兒自己跟自己開玩笑。你聽了不知道還是跟他一塊兒笑好，還是不笑好。橫是我們都哈哈大笑了。後來他又說甚么哈佛大學先收男學生不收女學生。

三：哦？真的嗎？我倒是头一回聽見！

謝：是啊，我也是头一回才听见的。他说到了中国看见所有的大学没有一个不是男女同校的，他说他觉得更快活的不得了。他说到这儿我们全体都哄堂大笑起来。那些女学生格儿格儿的笑的特别响。

三：不见得吧；我没笑啊！

謝：你没去嘿！你去了看你笑不笑！

三：后来他又说了些客气话；他说他到了学校以后承各位先生，各位同学们样样儿事给他指导帮忙。他简直说不出来的感谢大家，甚么甚么的一大些客气话，就好像个中国人演说的。

三：真的吗？

謝：对了。说完了大家拍了半天手。后来就散会了。散了会走出大礼堂就碰见了我一个好朋友。

---

三：哦？

乙：廿。

三：谁？

乙：你。

三：啐！

第一課

第 ⺮ ノ 𠂉 𠂉 ⺮ ⺮ ⺮
弟 一 コ 弓 弔 弟
課 言 、 亠 亠 亠 言 言 言
果 丨 冂 日 日 旦 甲 果 果
你 亻 ノ 亻
尔 ノ 𠂉 尔 尔 尔
我 ノ 二 于 手 我 我 我
他 也 ㇕ 九 也
四 丨 冂 四 四 四
個 固 丨 冂 冂 冃 冃 周 周 固 固
人 ノ 人
丁 一 丁
誰 隹 ノ 亻 亻 亻 亻 仹 隹 隹
啊 口 丨 冂 口
阝 ㇇ 了 阝
可 一 丁 丁 可 可
王 一 二 干 王
日 丨 冂 日 日
是 疋 一 丅 下 丆 疋

---

吶 内 丨 冂 内 内
呀 牙 一 二 于 牙
弓 一 ㇕ コ 弓
張 長 一 厂 ㇀ 丨 巨 長 長 長
那 ㇇ 刀 刀 刃 刃
阝 ㇇ 了 阝
麼 广 、 亠 广
林 一 十 才 木 杧 村 材 林
么 ノ 幺 么
李 子 ㇇ 了 子
甚 一 十 廾 廾 甘 甘 其 其 其
甚
跟 足 丨 冂 口 𠯁 𧾷 足
艮 ㇇ ㇌ 彐 艮 艮 艮
幾 幺 𠃋 幺 幺
戈 一 厂 戈 戈 戈 戈
兩 一 厂 冂 币 币 両 兩 兩
們 門 ㇇ ㇌ ㇌ 門 門 門 門 門
咱 自 ノ 亻 竹 白 自 自
對 丵 丨 丨 业 业 业 丵 丵 丵

---

丵 丵 丵
寸 一 十 寸
了 ㇇ 了
所 ノ 亻 户 户
斤 ノ 亻 斤 斤
以 ㇂ ㇂ 以 以
不 一 ア 不 不
世 一 七 廿
吧 巴 ㇇ ㇇ 巴 巴
的 白 ノ 亻 白 白 白
勺 ノ 勹 勺
連 車 一 丆 丙 百 亘 亘 車
辶 、 ㇇ ㇌ 辶
才 一 十 才

第二課

東 一 丆 丙 丙 百 亘 申 東 東
西 一 丆 丙 丙 西 西
甲 丨 冂 日 日 甲
嗯 因 丨 冂 冃 冃 因 因

桌 丨 卜 占 占 卓 桌 桌 — 心 ノ 八 心 心

扇 — 户 丶 ㇇ 彐 户 — 羽 𠃌 彐 彐 羽 羽 羽

些 丨 卜 止 止 此 些 些

筆 — 聿 𠃍 ヨ ヨ 聿 聿 聿

枝 — 支 一 十 ナ 支

知 — 矢 ノ 𠂉 ⺈ 午 矢

道 — 首 丶 丷 䒑 䒑 首

鉛 — 金 ノ 人 亼 仒 今 今 佘 金 — 㕣 ノ 几 八 㕣 㕣 㕣

毛 ノ 二 三 毛

在 一 ナ 才 在 在 在

邊 — 穴 丶 丷 宀 宀 穴

方 丶 亠 方 方

老 一 十 土 耂 耂 老

有 — ナ 一 ナ — 月 ノ 冂 月 月

五 一 丆 万 五

七 一 七

---

沒 — 氵 丶 冫 氵 — 殳 ノ 几 殳 殳

唉 — 矣 ム ム 厶 𠂉 ⺈ 矣 矣

地 — 土 一 十 土

紙 — 糸 𠃋 幺 幺 幺 糸 糸 糸 — 氏 ノ 𠃋 乇 氏

紙 — 糸 𠃋 幺 幺 糸 糸 糸

想 — 目 丨 冂 月 月 目

報 — 干 一 二 干 — 𠬝 𠃍 尸 𠬝 𠬝

九 ノ 九

看 — 手 ノ 二 三 手

新 — 亲 丶 亠 亡 立 立 辛 亲

聞 — 耳 一 丅 下 下 E 耳

上 丨 卜 上

燈 — 火 丶 丷 火 火 — 癶 ク タ 癶 癶 癶 — 豆 一 丆 丙 百 亘 豆

盞 — 戈 一 七 戈 戈

---

開 — 皿 丶 冂 冊 皿 皿 — 开 一 二 于 开

覺 — 几 ノ 几

子 𠃌 了 子

把 — 扌 一 亅 扌

椅 — 大 一 ナ 大

瞧 — 灬 丶 丷 灬 灬

包 — 勹 ノ 勹 — 己 𠃍 コ 己

鋼 — 岡 丨 冂 冂 冈 冈 冈 岡 岡

粉 — 米 丶 丷 䒑 半 米 米 — 分 ノ 八 分 分

雙 — 又 フ 又

筷 — 忄 丶 丨 忄 — 夬 𠃍 コ 夬 夬

第三課

中 丶 口 口 中

國 丨 冂 同 國 國 國 國

話 — 舌 ノ 二 千 舌 舌 舌

都：者 一 十 土 耂 耂 者
會：ノ 八 亽 合 侖 侖 侖 會
外：夕 ノ ク 夕；卜 丨 卜
從：彳 㣔 㣔 㣔 從
美：𦍌 、 丷 䒑 䒑 𦍌 𦍌
來：一 來 來 來 來
英：艹 、 十 艹 艹；央 、 冂 口 央 央
文：、 亠 ナ 文
叫：丩 乚 丩
樣：永 、 亅 永 永 永
完：宀 、 宀 宀；元 一 二 テ 元
嗎：馬 一 二 三 手 甲 馬 馬
點：黑 、 冂 冂 四 四 罒 罒 罒；黑；占 丨 卜 占
呃：厄 一 厂 厅 厄
同：丨 冂 冂 同

為：、 ソ 为 为 為 為
時：日 日+ 時
候：亻 仆 仃 仁 候
聽：耳 耳 耳 耳 聑 聽
過：咼 丨 冂 冂 冎 冎 咼 咼
概：皀 白 皀 皀；旡 一 匚 牙 旡
寫：臼 ノ 亻 ⺊ 仃 臼 臼
懂：重 ニ 二 千 台 台 台 亘 重
重
第四課
電：雨 一 厂 冂 币 雨 雨 雨 雨；电 丨 冂 日 日 电
總：囱 ノ 亻 冂 内 囪 囪 囱
局：フ コ 尸 月 局
千：ノ 二 千
號：号 口 号；虍 丨 卜 卢 卢 卢 虍
響：乡 乙 幺 乡

聲：良 、 ㇇ ヨ 艮 艮 良；立 、 亠 六 立；声 一 十 士 声 声 声 声
鈴：令 ノ 人 亼 今 令
還：罒 罒 罒 罒 睘 睘 睘 還
走：一 十 土 丰 丰 赱 走
怎：乍 ノ 𠂉 午 乍 乍
貴：口 中 虫 貴 貴
姓：女 ㄑ 女 女；生 ノ 𠂉 𠂉 牛 生
嗄：夏 一 丆 百 頁 夏 夏
台：厶 厶 台
甫：一 丆 冂 冃 甬 甫 甫
出：乚 山 屮 出 出
禮：礻 、 ㇇ 礻 礻；曲 丨 冂 日 由 曲 曲
拜：⺀ 三 手 拜 拜
今：ノ 人 亽 今
午：ノ 𠂉 二 午
下：一 丅 下

鐘 里 — 坐 — 船 舟 — 飛 — 到 至 — 再 — 遍 冊 — 誤 吳 — 晚 免 — 去 — 做 古 攵 — 或 — 明 月 — 天 — 空 工 — 事 — 嘸 無 — 緊 臣

極 亟

## 第五課

前 — 後 夂 — 本 — 牆 爿 — 面 — 塊 鬼 — 板 反 — 拿 合 手 — 用 — 望 亡 夕 — 常 小 巾 — 迂 于

禿 禾 — 圖 啚 — 嚷 — 別 力

## 第六課

圈 — 情 — 飯 食 — 喫 刀 — 碗 石 夕 — 歇 欠 — 抽 由 — 像 四 — 水 — 散 — 己

覺 𦥑 ノ 亻 ⺊ 𦥑
着 羊 丶 丷 䒑 羊
海 𠂉 ノ 𠂉
毋 ㄥ 毋 毋 毋 毋
島 鳥 ノ 亻 户 白 鳥
山 丨 山 山
然 犬 一 ナ 大 犬
摔 率 丶 亠 玄 率
死 歹 一 丆 歹 歹
匕 ノ 匕
越 戊 一 厂 戊 戊 戊
尺 ㇇ コ 尸 尺
靠 牛 ノ 𠂉 二 牛
非 丨 非 非
遲 尸 犀 遲
嘩 華 艹 華
身 ノ 亻 身 身
糟 曲 一 曲
疼 疒 丶 亠 广 疒
冬 ノ 夕 夂 冬

---

碰 並 丷 䒑 並
辦 辛 丶 亠 立 辛
睜 爭 ⺈ 爭
睡 垂 ノ 二 垂

第七課

步 丨 ⺊ 止 步
愛 ⺤ 爫 愛
喜 士 吉 喜
歡 ⺾ 雚 歡
管 官 宀 官
匣 一 匣
留 卯 ⺁ 卯
播 釆 ノ 釆
鬧 門 門
晨 辰 一 厂 辰
醒 酉 一 厂 丙 西 酉
更 一 更
隨 阝 隋 隨
壞 丨 ⺀ 氺

---

比 一 匕 比
少 亅 小 少
假 叚 ㇇ コ 尸 叚

段

汽 气 ノ 𠂉 气
世 一 廿 世
某 甘 一 廿 甘
希 ノ 㐅 希
難 𦰩 一 廿 𦰩
雖 虽 吕 虽
挺 壬 ノ 二 千 壬
廴 ㇇ 廴
除 未 二 丰 未
搗 鳥 ノ 亻 白 鳥
陽 昜 丨 日 旦 昜

第八課

險 阝 險
孩 亥 丶 亠 亥
親 亲 丶 亠 立 辛 亲

姊 朶 成

第九課

講 咯 認 熟 太 帶

北 平 南 半 調 緣 幫 處

變 興 絕

第十課

鼠 耗 嘶 猜 風 破 嚇 確 嘔 嘍 搖 整 邋 被 斷

第十一課

歲 暖 舒 雪 年 解 牌 春 陰 萬 聯

第十二課

救 逃 及 咦

離 离
降 夅
駛 史
燒
旋 疋
槳
亂
繩 黽

第十四課

脈 𠂢
臟 臧
髮 犮
劑 齊

第十五課

亞
彝
印
慶
典
紐 丑
頓 屯

第十六課

遼 尞
龍
爾
肅
繫 𣪠
費 弗

第十八課

織 戠
圍 韋

第二十課

濕
兜

第二十二課

庸

第二十三課

灑
壺